9/3/21.

To Alex

For your 13th Birthday

Just thought this book would help you with French.

Happy Birthday.

Lots of Love

Granny.

Traduction : Jean-Noël Chatain
Conception graphique du roman : Audrey Cormeray
Exécution graphique : François Hacker.
Hachette Livre, 43, quai de Grenelle, 75015 Paris.

THE CLONE WARS

La bataille de Teth

hachette
JEUNESSE

...omment lire ce livre ?

bataille pour rigoler, c'est bien réel !

— Euh… Faut peut-être éviter de s'en mêler… ça risque d'être dangereux, hésites-tu.

La main en visière, tu plisses les yeux en scrutant la falaise déchiquetée.

— Je vois quelque chose là-haut. Ou plutôt quelqu'un !

CRRRRAAAAC ! BOUUUUM !

— Ils tirent au canon laser ! Les vaisseaux ont dû se poser au pied de la falaise ! s'exclame Peder en bondissant, tout excité. Viens ! Faut qu'on voir ça de plus près !

Tu as bien sûr envie d'aller voir les Jedi combattre les Séparatistes… Qui d'autre pourraient-ils combattre ? Mais vous risquez tous deux de vous faire tuer… Es-tu prêt à courir ce risque ?

— Bon, si ça t'intéresse pas, rétorque Peder avec un regard noir, j'y vais tout seul !

À ces mots, il détale en direction de l'imposant plateau.

Choisis ton destin…

Si tu décides de suivre Peder pour te lancer au cœur de l'action, va au 39.

Si tu préfères emprunter un itinéraire plus sûr, va au 55.

Les choix

À chaque fin de chapitre, ce visuel t'indique où ...ntinuer ta lecture. S'il indique « Va au 15 », tu devras ...hercher le chapitre 15 pour continuer ton aventure. Attention, parfois, deux choix te sont proposés… à toi de faire le bon !

Les Jedi

Anakin Skywalker

L'ancien padawan d'Obi-Wan est devenu un Chevalier Jedi impulsif et imprévisible. Il a une maîtrise impressionnante de la Force. Mais est-il vraiment l'Élu que le Conseil Jedi attend ?

Ahsoka Tano

Yoda a voulu mettre Anakin à l'épreuve : il lui a envoyé une padawan aussi butée et courageuse que lui... Cette jeune Togruta possède toutes les qualités nécessaires pour être un bon Jedi, sauf une : l'expérience.

Les Jedi

Obi-Wan Kenobi

Général Jedi,
il commande l'armée
des clones. Il est reconnu
dans toute la galaxie
comme un grand guerrier
et un excellent négociateur.
Son pire ennemi est
le Comte Dooku.

Maître Yoda

C'est probablement
le Jedi le plus sage
du Conseil.
Il combat sans relâche
le Côté Obscur de la Force.
Quoi qu'il arrive,
il protégera toujours
les intérêts de
la République.

Les clones de la République

Ces soldats surentraînés ont tous le même visage puisqu'ils ont été créés à partir du même modèle, sur la planète Kamino. Le bras droit d'Anakin, le capitaine Rex, est un clone aussi entêté que son maître !

Les Séparatistes

Asajj Ventress

Cette ancienne Jedi
a rapidement préféré
le Côté Obscur
de la Force. Elle est la plus
féroce des complices du
Comte Dooku,
mais surtout, elle rêve
de détruire Obi-Wan.

Le Comte Dooku

Il hait les Jedi.
Son unique but est
d'anéantir la République
pour mieux régner
sur la galaxie. Il a sous
son commandement
une armée de droïdes
qui lui obéissent
au doigt et à l'œil.

Le Général Grievous

Ce cyborg
est une véritable
machine à tuer !
Chasseur solitaire,
il poursuit les Jedi
à travers toute
la galaxie.

Darth Sidious

Il ne montre jamais son
visage, mais c'est pourtant
ce Seigneur Sith qui dirige
Dooku et les Séparatistes.
Personne ne sait d'où il vient
mais son objectif est connu
de tous : détruire les Jedi
et envahir la galaxie.

Le héros

Au début de cette aventure,

tu es un jeune initié.

Au temple Jedi, où tu passes tes

journées avec ton meilleur ami

Jaylen, tu attends avec impatience

d'être nommé padawan...

1

C'est une belle journée ensoleillée. Toi et ton meilleur ami, Peder, vous courez dans la jungle de Teth en faisant semblant d'être pourchassés par le Général Grievous.

— Il est derrière toi, Peder ! lâches-tu dans un éclat de rire.

Tu simules un cri de terreur, tandis que l'ennemi imaginaire te décapite d'un seul coup, et tu t'écroules en hurlant à l'agonie.

Étendu à terre, tu reprends ton souffle et, tout en regardant le ciel, tu crois voir un éclair argenté. Tu te frottes les yeux et regardes à nouveau. Non, tu ne rêves pas. On dirait un vaisseau ! Tu te relèves d'un bond.

— Peder ! Peder, t'as vu ça ?

Lui aussi a les yeux fixés sur le ciel.

— Ça ne ressemble pas à…

Mais tu n'as pas le temps d'achever ta phrase qu'une petite flotte de LAAT/i passe au-dessus de vos têtes.

— Des vaisseaux de la République ! s'enthousiasme Peder. On dirait qu'ils filent vers le plateau et le monastère des B'omarr !

BOUUUUM ! Une énorme explosion retentit et Peder et toi tombez à plat ventre.

— Allons jeter un coup d'œil ! propose Peder, tandis qu'il se relève. C'est pas une bataille pour rigoler, c'est bien réel !

— Euh... Faut peut-être éviter de s'en mêler... ça risque d'être dangereux, hésites-tu.

La main en visière, tu plisses les yeux en scrutant la falaise déchiquetée.

— Je vois quelque chose là-haut. Ou plutôt quelqu'un !

CRRRRAAAAC ! BOUUUUM !

— Ils tirent au canon laser ! Les vaisseaux ont dû se poser au pied de la falaise ! s'exclame Peder en bondissant, tout excité. Viens ! Faut qu'on voit ça de plus près !

Tu as bien sûr envie d'aller voir les Jedi combattre les Séparatistes... Qui d'autre pourraient-ils combattre ? Mais vous risquez tous deux de vous faire tuer... Es-tu prêt à courir ce risque ?

— Bon, si ça t'intéresse pas, rétorque Peder avec un regard noir, j'y vais tout seul !

À ces mots, il détale en direction de l'imposant plateau.

Choisis ton destin...

Si tu décides de suivre Peder pour te lancer au cœur de l'action, va au 39.

Si tu préfères emprunter un itinéraire plus sûr, va au 55.

Tu te retournes en découvrant Ventress debout au-dessus du cadavre du soldat.

— Il a montré plus de courage que vous ne serez jamais capable d'en témoigner ! t'exclames-tu avec fureur.

Ventress se tourne lentement et te voit dans l'entrée.

— Ne pleure pas sur une machine, vermisseau, te lance-t-elle en t'attirant à elle avec le pouvoir de la Force. Tu ne manques pas d'esprit, jeune homme. Mais il ne te sauvera pas !

Tu perçois alors la vibration de son sabre laser, tandis que le monde autour de toi explose en vagues rouges enflammées.

3

Tu constates que la motojet est trop abîmée pour l'utiliser et, comme la bataille rangée approche, tu décides de revenir plus tard enquêter.

Tu descends trois étages… Le monastère B'omarr abrite plus de niveaux que tu ne le croyais ! Tu entends des voix qui résonnent dans les couloirs déserts… si bien que tu as du mal à deviner d'où elles viennent. Tu finis par le savoir. Il s'agit de la femme que tu as vue dans la cour et elle est en train de se battre contre… Obi-Wan Kenobi ! Il fait donc partie du contingent Jedi ! Sabre laser bleu en main, Kenobi pare les coups puissants de la femme en hurlant :

— Tu peux mieux faire, ma chère Ventress !

C'est donc la fameuse Ventress. J'ai eu de la chance de lui échapper !

Dans un hurlement rageur, Ventress bondit sur Kenobi. Elle manque le général Jedi, mais fait tomber son sabre laser.

— Je suis impressionné, observe Kenobi.

— Tu vas mourir ! crache Ventress en levant son arme.

Va au 77.

Quand tu sors, il commence à faire nuit, mais tu distingues les amas de ferraille, qui constituaient autrefois les fantassins de l'armée Séparatiste.

Tandis qu'Obi-Wan organise son retour au croiseur Jedi, tu regardes, consterné, les soldats clones transporter leurs blessés et leurs morts à l'endroit prévu pour le ramassage.

— Nous offrons aux soldats des funérailles dignes de ce nom, déclare Kenobi d'une voix douce. Je sais que cela t'est difficile à imaginer, mais la perte de soldats clones n'est rien, comparée au besoin urgent de détruire les Séparatistes. Tant qu'ils existent, un nombre croissant d'entre nous va mourir.

Tu acquiesces avec tristesse et lèves la tête en voyant un vaisseau arriver.

— Ah, voilà mon chauffeur, annonce Kenobi. Tu veux m'accompagner ? Tu as fait preuve d'un grand courage aujourd'hui et je vais recommander au Conseil ton admission à l'Académie.

Tes yeux se posent d'abord sur Kenobi, puis sur le chaos environnant...

Accompagne Obi-Wan Kenobi au 67.

5

Janu Godalhi est plus loufoque qu'un ver P'frorin gotta, songes-tu en le suivant.

À en croire le regard de Peder, il est de ton avis !

Tout en ouvrant la marche, Godalhi marmonne dans sa barbe : « Trop dangereux, bien trop dangereux », mais il se calme quand vous entrez dans le turbo-ascenseur.

Les portes s'ouvrent… *PSCHHHH !* et, en sortant, vous vous retrouvez dans un couloir à l'odeur infâme, qui s'étire à l'infini.

— C'est quoi cette puanteur ? s'exclame Peder en se pinçant le nez.

— Quelque chose s'est peut-être faufilé jusqu'ici et s'est retrouvé coincé dans une de mes petites pièces, répond Godalhi, dont l'éternel sourire s'efface.

Tu scrutes au loin et aperçois une forme inerte gisant à terre, entourée de traces de brûlures. Godalhi plisse les yeux et la voit aussi. Tu entends des pas et le grésillement d'un comlink à distance.

Sans doute des soldats clones… ou peut-être des droïdes de combat, te dis-tu en remarquant que le corps étendu à terre est en train de remuer !

— Vite, dans cette pièce ! ordonne Godalhi en t'attrapant par le bras pour te pousser vers une antichambre sombre qui donne dans le couloir principal.

— Mais ce corps, il bouge ! répliques-tu en te détachant de lui. Il a besoin d'aide !

Choisis ton destin...

Si tu décides d'obéir à Janu Godalhi, va au 115.
Si tu préfères aider la créature blessée, rends-toi au 142.
Si tu souhaites te cacher et voir qui s'approche, va au 107.

M*aître Koon !* penses-tu soudain. *C'est auprès d'un Jedi qu'on est le plus en sécurité !*

Tu bondis hors du LAAT/i et traverses la clairière à toute vitesse pour rejoindre Koon, qui attend tranquillement l'arrivée des STAP. À ton grand étonnement, il ne t'oblige pas à te mettre à l'abri, mais se tourne vers toi et pose doucement la main sur ton épaule. Tu oublies aussitôt l'attaque qui se prépare et un sentiment de paix t'envahit.

— Si tu connais un passage secret pour entrer dans le monastère, aide-nous, s'il te plaît, dit-il en passant lentement son autre main devant ton visage.

— Je… je…, bégaies-tu, tandis que des pensées confuses bourdonnent dans ta tête, dont certaines si fugaces qu'elles t'échappent aussitôt…

Choisis ton destin…

Si tu penses pouvoir montrer au Jedi l'entrée secrète du monastère, va au 44.

Si tu décides de t'abandonner au sentiment de paix qui a soudain pris possession de toi, va au 139.

Tu aperçois Godalhi et le Trandoshan qui disparaissent dans l'arrière-salle. La voie est libre.

Pas question qu'on me traite comme un bébé. Je peux me débrouiller tout seul ! songes-tu, indigné.

Un orchestre joue un morceau discordant. Tu te frayes un chemin dans la foule pour t'approcher et, par mégarde, tu heurtes un Sullustain.

— Regarde où tu mets les pieds ! grogne-t-il. À cause toi, j'ai renversé mon verre !

— Désolé... Je ne vous ai pas vu.

— Tu te moques de ma taille ? rugit-il. Vais-je devoir t'apprendre les bonnes manières ?

Les amis du Sullustain éclatent de rire.

— J'ai dit que j'étais désolé ! lâches-tu, le visage rouge de colère.

— Oh, tu vas l'être, c'est sûr ! crache-t-il, furieux, en dégainant un blaster.

Tu sens aussitôt une douleur atroce dans ton bras ! Avec un cri perçant, tu t'écroules à terre. La dernière image qui t'apparaît, c'est le visage inquiet de Janu Godalhi penché au-dessus de toi...

Fin

Voyant qu'il y a quelque chose qui cloche, le Trandoshan et le Miraluka arrêtent aussitôt de discuter.

— Où vas-tu, jeune Maître ? t'interroge le Miraluka d'un ton inquisiteur.

— Je vais demander au patron pourquoi on met aussi longtemps à nous servir nos boissons, prétexte Peder, afin d'aller parler au propriétaire.

— À ta placcce, je ne ferais pas çççça, conseille le Trandoshan avec un rire démoniaque, tout en l'obligeant à se rasseoir. Le Deravonien n'aime pas qu'on le boussscule !

— Peut-être qu'on peut tous les deux t'aider, reprend le Miraluka en jetant un regard au Trandoshan. Si tu nous dis ce que tu cherches…

Puis, sans reprendre leur souffle, vos hôtes se mettent à parler des motojets non immatriculées, des jeux de sabacc illégaux, et des blasters intraçables qu'ils peuvent fournir. Tu te demandes comment les faire taire sans les vexer, lorsque tu entends des voix rageuses qui s'élèvent à l'autre bout de la salle et le *SHIIING !* d'un sabre laser qui s'allume. D'un seul coup, votre table est renversée et le Trandoshan costaud t'empoigne pour te cacher derrière lui.

— Ccc'est Pon'Dart, grogne-t-il. Il a un compte à régler avec le patron.

Soudain, un hurlement effroyable envahit la salle, tandis qu'une main rouge tenant un blaster vole au-dessus des tablées, rebondit sur le mur derrière toi, puis atterrit à un mètre de l'endroit où tu es accroupi.

— AAAAAHHH ! t'écries-tu avec Peder à l'unisson.

— Je vous conssseille..., dit le Trandoshan en ramassant tranquillement la main tranchée pour récupérer le blaster, de vous en aller sssur-le-champ.

Va au 117.

Peut-être que je ne peux pas m'en sortir tout seul, songes-tu, résigné. *J'ignore tout des consoles de communication ! Peut-être que les soldats clones sont doués pour ce genre de truc. Il suffit d'en dénicher qui ne soient pas en train de se battre…*

Au même moment, tu entends les militaires descendre l'escalier, suivis de près par les droïdes Séparatistes.

Hop ! Tu enfourches la motojet et tu fonces dans le couloir. Malheureusement, elle fait tellement de bruit que te voilà bientôt avec un escadron de droïdes destroyers aux trousses.

Au détour d'un corridor, tu manques d'entrer en collision avec des droïdes, qui se lancent à ta poursuite.

Seul, perdu dans ce labyrinthe de galeries, avec une bande de droïdekas en train de te rattraper, tu es à deux doigts de paniquer quand tu aperçois quelqu'un à l'autre bout du hall. Cette personne tient-elle un… un sabre laser ?

Choisis ton destin…

Si tu décides de filer vers cette silhouette, va au 81.

Si tu penses qu'il s'agit d'un ennemi, va au 116.

Tu es excité à l'idée de rencontrer les personnages les plus louches de Raidos. Armé d'un blaster, Godalhi t'escorte vers une cantina, à la recherche d'un de ses « associés ». En soulevant le rideau de l'entrée, tu vois des créatures venues de toute la galaxie danser et vendre sans complexes des biens volés ! Godalhi te guide parmi la foule en direction du bar et repère son contact Trandoshan en lui faisant signe.

— Tu m'attends ici, t'ordonne-t-il en te collant sur un tabouret du bar. Et, pour l'amour de Pandit, ne parle à personne !

— Mais je veux venir avec vous ! Sans moi, vous ne sauriez même pas que les Séparatistes occupaient le monastère des B'omarr.

— Reste là ! Cet endroit est dangereux ! ordonne Godalhi avant de disparaître dans la foule.

Choisis ton destin...

Si tu décides de ne pas bouger et d'attendre Godalhi, rends-toi au 84.

Si tu préfères le suivre, tu ne te sentiras pas exclu ! Va au 47.

Si tu veux faire un tour dans la cantina, ça en vaut la peine... Rends-toi au 7.

Je m'en suis tiré comme un chef ! penses-tu fièrement en te cramponnant au pied de l'appareil, qui décrit un arc dans les airs avant de s'écraser à nouveau.

D'une minute à l'autre, tu vas arriver en bas du plateau et te retrouver parmi d'autres clones. Un visage nu se remarque facilement dans une horde de soldats clones casqués. Il te faut un déguisement !

Devant toi, tu constates que le premier RT-TT a commencé l'ascension de la façade quasi verticale du plateau.

Peut-être que je peux chevaucher ce tas de ferraille jusqu'au sommet… Espérons qu'il ne prendra pas de passagers en cours de route ! Jusqu'ici, j'ai eu de la chance…

Tout à coup, le RT-TT se pose dans la clairière, au pied de la falaise et s'arrête dans un ultime soubresaut. Visiblement, ta chance a tourné… Un escadron de clones s'approche du véhicule et, pour ne pas attirer l'attention, tu te glisses discrètement derrière le pied de l'engin… si bien qu'ils ne peuvent te voir.

À une dizaine de mètres, tu aperçois un clone étendu à terre. Il est mort, ses membres sont disloqués. Tu détales vers le clone brisé et lui retires tant bien que mal son casque.

— Désolé, mon pote, lui murmures-tu en enfilant le casque.

Ta vision est limitée, mais tu seras moins repérable.

Sans perdre une minute, tu rejoins le RT-TT et t'accroches de nouveau à son pied, tandis que le monstre entame son ascension...

Va au 126.

12

Un conduit de ventilation ! Si je parviens à retirer le couvercle…

Tu t'y précipites et, sur la pointe des pieds, saisis la grille, tires un grand coup, et celle-ci se détache facilement.

Jusqu'ici, tout va bien, songes-tu, ravi qu'elle ne soit pas soudée au conduit.

Tu jettes la grille par terre, recules de quelques pas pour prendre un peu d'élan et *hop !* tu sautes, tête la première, dans la bouche d'aération et glisses aussitôt le long de sa paroi.

Va au 101.

Alors qu'il s'est roulé en boule en activant sa configuration « roue » et « bouclier personnel », il s'arrête soudain, comme surpris de te voir.

— Je suis mort ! lâches-tu d'une voix étouffée, en plissant très fort les yeux et en sachant qu'il n'y a pas d'issue, cette fois.

Tu perçois le vrombissement des pièces métalliques, tandis que le droïde se déploie sur ses trois pattes en position d'attaque et ses énormes bras en bronzium, dont chacun tient un double-blaster, prêt à tirer.

Mais soudain quelque chose d'étrange se produit…

Tu ouvres un œil… le droïdeka bat en retraite !

Ensuite tu comprends pourquoi. Tu te trouves si près de lui que tu ne cours aucun danger entre ses deux doubles-blasters. En raison de son amplitude de mouvement limitée, le droïdeka doit reculer pour t'avoir dans sa ligne de tir !

Et dire que je dois me ruer sur une arme Séparatiste pour éviter de me faire tuer !

Comme tu te précipites vers le droïdeka, il glisse à reculons.

Mais tu sais qu'un de ses comparses peut

apparaître d'une minute à l'autre... Bref, tu dois à tout prix te sauver !

Tu aperçois une volée de marches dans un coin de la salle et tentes la manœuvre la plus téméraire qui soit. Tout en agitant les bras et en hurlant à la manière d'un Gundark, tu attires le droïdeka vers l'escalier, comme si tu rassemblais des Nerfs dans un champ.

Dès que le destroyer heurte le bas de l'escalier et bondit en avant, tu t'écartes habilement et montes les marches quatre à quatre... Tu gravis trois étages à toute vitesse et ne t'arrêtes que lorsque tu es largement au-dessus de lui.

Tu jettes un regard par-dessus la balustrade et vois la machine impuissante qui roule d'avant en arrière, afin de prendre assez d'élan pour gravir les marches.

Espèce de gros tas de ferraille ridicule ! penses-tu avec arrogance, en lui balançant une grenade V-6 haywire.

Tu n'as pas sitôt mis le pied dans le turboascenseur que tu entends le droïdeka exploser.

Les portes se referment et tu presses le bouton pour descendre, mais il est brûlant et le panneau de commandes clignote dans tous les sens.

Oups... On dirait qu'il est complètement déglingué ! Faut que j'en sorte au plus vite...

Tu enveloppes ta main dans ta tunique et te mets à marteler le bouton pour monter, mais en vain.

L'horreur ! Je descends en chute libre ! paniques-tu, d'autant que tu ignores le nombre d'étages que compte le monastère des B'omarr.

Soudain, le turbo-ascenseur reçoit une violente secousse et les portes s'ouvrent en coulissant.

Tu te retrouves face à un mur de pierre mais, en baissant les yeux, tu entrevois le haut de l'entrée de la cage... Te voilà coincé entre deux niveaux !

Tu t'aplatis par terre et parviens à te faufiler dans l'intervalle. Tu atterris à l'étage au-dessous dans un bruit sourd, en roulant péniblement sur toi-même. *Aïe !*

En te relevant, tu te retrouves dans un très long couloir...

Va au 73.

14

C'est pas le moment de paniquer ! hurles-tu en essayant de te donner du courage, tandis que le canon pointe le bout de son lance-missiles vers le sommet de la falaise.

Silence…

Il n'a pas tiré ! Les Séparatistes ne surveillent pas le secteur !

La silhouette du RT-TT surgit, menaçante, sur le flanc de la falaise, et tu sautes à pieds joints… D'une roulade, tu t'éloignes du danger que représentent ces deux monstrueuses pattes avant.

Ravi qu'on ne t'ait pas encore fait exploser la cervelle, tu contemples la scène… Tout autour de toi, les vestiges d'une bataille décisive. Véhicules STAP, droïdes de combat, droïdes destroyers et soldats clones… le tout démantibulé, écrabouillé en un immense champ de ferraille.

Et derrière ce carnage se dresse le grand monastère des B'omarr !

Au travers de ses impressionnantes portes ouvertes, tu vois le tir croisé des rayons laser et entends les cris et les gémissements des soldats clones à l'agonie.

Tu fonces vers l'entrée, prends juste le temps de récupérer au passage un blaster et une poignée d'explosifs sur un soldat à terre. Le blaster est drôlement cabossé et tu te demandes s'il fonctionne encore, lorsque tu repères un droïde araignée qui agite ses fines pattes dans les airs... Tu le vises et tires en rafale avec le blaster. Le droïde vrombit et lutte comme il peut dans une gerbe d'étincelles, avant de s'écrouler, vaincu.

JE T'AI EU ! songes-tu en souriant, avant de glisser l'arme dans ta poche pour piquer un *sprint* vers l'entrée, dans l'espoir d'avoir l'occasion de liquider une poignée d'autres droïdes !

Rends-toi au 25.

15

Brusquement, le monde se met à tournoyer et tu tombes avant de perdre connaissance.

C'est alors que tu as une étrange vision ! Devant toi, sur la droite, tu vois Ventress qui tient Peder par le col de sa tunique, mais juste en face, sur ta gauche, tu découvres Anakin Skywalker, sabre laser au clair !

— Viens vers moi, jeune homme, roucoule Ventress. Rejoins le Côté Obscur de la Force et je rends la liberté à ton ami…

— Ne crois pas ce qu'elle dit ! hurle Anakin. Elle ne relâchera jamais Peder ! Viens vers moi, je combattrai Ventress et sauverai vos vies !

— Il ne peut pas t'aider, jeune Tethan, éructe-t-elle, furieuse, en dégainant son sabre laser. Si tu rejoins Skywalker, je n'hésiterai pas à vous tuer, toi d'abord, puis ton ami !

Tu contemples le visage blême de ton ami… Cette vision semble si réelle… Que faire ?

Choisis ton destin…

Si tu décides de faire confiance à Anakin Skywalker, va au 48.

Si tu préfères ne pas risquer la vie de Peder, rends-toi au 71.

16

Ignorant le combat qui fait rage alentour, elle avance vers toi, sa cape claquant au vent dans son sillage, telles les ailes d'un vautour-quizzard. Elle ôte sa cagoule et dévoile sa tête et son cou tatoués. La terreur te pétrifie sur place et ton cerveau se fige !

Elle laisse échapper un effroyable rire devant ton incapacité à réagir et fait tournoyer ses sabres laser, en décrivant de grands cercles.

— Tu n'essaies pas de t'enfuir ? crache-t-elle, en devinant que ses mouvements de sabres parviennent à t'hypnotiser.

Tu réalises soudain qu'elle ne sait pas que tu tiens une grenade V-6 haywire. Brusquement, cette prise de conscience te pousse à l'action… Tu lances le projectile de toutes tes forces dans sa direction.

BOUUUUM !

Le courant électrique cingle l'air en grésillant et crée la diversion que tu souhaitais.

Tu fonces vers la porte du monastère pour t'y réfugier, quand tu perçois tout à coup le sifflement d'un tir de blaster. Le droïdeka ! Tu l'avais complètement oublié…

Fin

17

Et comment ! Le jeu en vaut la chandelle ! Si je ne tente rien, je suis voué à une vie d'esclave dans les mines de gaz tibanna !

Les mains toujours menottées dans le dos et le bâillon sur la bouche, tu te glisses doucement le long du plancher du véhicule et aperçois un trou dans la bâche. Tu passes ensuite la tête au travers pour te repérer.

L'engin est garé dans une zone de chargement animée et, non loin de là, le droïde de sécurité et le patron de la mine discutent des détail concernant les autorisations de ce dernier.

— Mais je vous dis que j'avais tous les tampons d'importation ici ! braille le propriétaire de la mine en cognant l'interface du robot.

— Apparemment, ils n'y sont plus, monsieur. Vous allez devoir compléter un formulaire RX4-A avant que je puisse vous laisser entrer, répond calmement le droïde vigile.

Tout en veillant à ne pas apparaître dans leur champ de vision, tu te hisses par-dessus bord, à l'arrière du véhicule… Et, comme tu ne peux amortir ta chute, tu atterris lourdement par terre. Ignorant la douleur fulgurante dans tes bras, tu rampes sur le sol en te tortillant comme un ver, avant d'atteindre une pile de caisses, derrière lesquelles tu te dissimules.

Si le proprio de la mine vérifie l'arrière du véhicule, je suis mort !

Mais depuis ta cachette, tu le vois remonter dans l'engin et redémarrer. Tu pousses un soupir de soulagement !

— Tiens… Tiens… Qu'avons-nous donc là ? murmure une voix dans ton dos…

Va au 98.

18

C'est bien joli, mais comment dénicher la bonne porte en me faufilant dans le noir à l'intérieur d'un tube de verre. Mauvaise idée !

Tu viens de te résigner à rejoindre la foule dans le couloir quand tu entends une voix familière… Raan Calrissian !

— Hé ! Petit !

Tu te hausses sur la pointe des pieds.

— Raan !

Comme par miracle, Calrissian t'entend !

— J'arrive, petit ! lance-t-il dans un grand sourire.

Calrissian joue des coudes pour te rejoindre et te donne joyeusement une claque dans le dos.

— En voyant la flotte Séparatiste arriver, je me suis dit que je ne pouvais pas te laisser ici tout seul. Qui sait ce que tu irais encore fabriquer ! Mais on doit filer maintenant ! ajoute-t-il en t'attirant vers les portes. La sécurité de la Cité des Nuages va bientôt fermer tous les spatioports, alors ne traînons pas !

En tête de la file d'attente, Calrissian bouscule les droïdes de sécurité sous les huées de la foule de voyageurs.

— Comment vous êtes-vous débrouillé ? demandes-tu, admiratif.

— Ça m'a coûté un joli paquet de crédits et beaucoup de bonne volonté, mon ami.

Vous traversez les couloirs à toute vitesse et arrivez enfin à la porte 134, puis montez à bord du *Jostaar Express*, le vaisseau de Calrissian.

Fonçant vers le cockpit, Raan te crie par-dessus son épaule :

— Attache ta ceinture, petit, et fais tout ce que je te dis. Je vais te donner une leçon de vol !

Tandis que les moteurs du vaisseau vrombissent, vous décollez du spatioport et entrez dans la bataille !

Passe au 40.

19

Pétrifié, tu ne peux plus bouger, quand, soudain tu vois le capitaine clone surgir et te faire signe.

— Par ici, le Tethien ! te crie-t-il d'un ton pressant. Tu ne peux pas rester dans ce vaisseau de combat ! C'est la première chose que les STAP vont détruire ! Tu dois aller te mettre à l'abri !

Tu t'empresses de courir vers lui, juste au moment où un STAP apparaît dans les airs et tire sur le vaisseau.

Le capitaine clone te rattrape au vol et te projette dans des buissons, avant de s'y réfugier aussitôt après.

— Désolé de t'avoir sous-estimé, s'excuse-t-il. Si tu veux nous aider, tu peux peut-être trouver un moyen d'entrer dans le Château du Hutt ?

Continue au 82.

— J'ai trouvé un holoblog avec les schémas d'une super-arme, annonces-tu. Plus les détails des cargaisons de vertex cristallin envoyées ici !

— Et comment sais-tu que les Séparatistes sont impliqués ? te demande Kenobi. Tu en as la preuve ?

— Non, aucune, réponds-tu. Mais le vertex cristallin est difficile à se procurer, et si on le stocke en masse comme les quantités que j'ai vues, c'est qu'on achète ou on fabrique quelque chose de cher.

— Comme une super-arme, pas vrai ? réplique Kenobi. Dans ce cas, on ferait bien de chercher un terminal afin d'en savoir plus sur cette arme mystérieuse.

Tu repères un ordinateur et découvres sur l'écran les mêmes images en boucle.

— Avec cette puissance de feu…, dit Obi-Wan Kenobi, pensif.

Soudain, il se retourne vers toi, souriant jusqu'aux oreilles.

— Mais elle n'est pas encore fabriquée ! Si

nous trouvons la cachette du vertex cristallin et le détruisons, ils risquent de ne jamais la construire. Je vais tâcher de savoir où ils la planquent...

— La liaison principale peut être endommagée, observes-tu.

— En effet... Dans ce cas, nous allons devoir trouver nous-mêmes ce fameux vertex. Cela dit, je suis sûr que si je devais amasser ces précieux cristaux, je les cacherais loin de l'entrée principale.

— Oh, mais je ne suis pas d'accord, général ! ripostes-tu, surpris par ton audace à contredire le tout-puissant Obi-Wan Kenobi.

— Bien entendu, tu n'es pas obligé de me suivre, lance-t-il par-dessus son épaule en filant à grandes enjambées.

Choisis ton destin...

Si tu décides de le suivre, va au 66.
Si tu préfères suivre ton intuition, rends-toi au 79.

Tu es éveillé et ne cesses de tourner et de retourner dans ta tête ce que tu vas dire à Obi-Wan, lorsqu'il fait son entrée.

— J'espère que tu as bien dormi ?

—Je…je… Oui, Maître Kenobi, merci…, balbuties-tu. La voie du Jedi n'est pas pour moi… Désolé, vous m'avez amené ici et offert de formidables possibilités, et je rejette votre offre.

— Je m'y attendais un peu, admet-il. On n'entre pas à la légère dans l'apprentissage Jedi. Le fait que tu te sois interrogé sur tes vraies motivations et que tu aies changé d'avis force d'autant plus mon respect. Allons au hangar préparer un vaisseau. L'*Esprit de la République* va rejoindre Skywalker, alors tu dois partir au plus vite.

Tu regrettes un peu de ne pas les accompagner pour retrouver ton héros Jedi Skywalker, mais ta décision est prise : tu t'en vas.

En arrivant au hangar, tu découvres que le seul engin que tu puisses emprunter est un vieux vaisseau Credaan, mais il fera l'affaire pour te ramener chez toi.

— Merci, Maître Kenobi, dis-tu en guise d'au revoir.

— Merci, petit. Sans toi, nous n'aurions jamais su que les Séparatistes prévoyaient de construire une super-arme, déclare-t-il. N'oublie pas de contacter Janu Godalhi. Il peut avoir besoin d'un bon assistant comme toi !

Il te fait signe de la main, tandis que tu montes dans le vaisseau et sors du hangar. C'est alors que tu as une idée... Tu n'es pas forcé de rentrer tout de suite, tu peux aller n'importe où !

Choisis ton destin...

Si tu décides de visiter Coruscant, va au 27.
Si tu préfères visiter Tatooine pour découvrir l'univers natal du grand Anakin Skywalker, rends-toi au 111.
Si tu souhaites rentrer chez toi et rencontrer Godalhi, va au 136.

— Marché conclu ! lances-tu sans hésiter, en descendant du véhicule.

Les gardes Barabels poussent des sifflements ravis et tu devines qu'ils auraient de toute façon pris la motojet. En tout cas, tu as évité une bagarre que tu n'aurais pas pu remporter !

— Nous avons tenu parole, alors c'est à vous maintenant. Où pouvons-nous trouver Janu Godalhi ? demande Peder, qui souhaite conclure la transaction.

— Janu Godalhi peut ssse trouver à deux endroits, murmure le garde d'un air de conspirateur, son haleine chaude et fétide assaillant vos narines. Sssoit à la Nouvelle Bibliothèque de Raidosss, où il sssupervise la gessstion des parchemins et des holocrons…, ajoute-t-il en souriant. Sssoit dans la cantina la plus mal famée de Raidosss.

— Et comment trouver la bibliothèque et la cantina ? questionnes-tu.

— Ccc'est pas mon problème. J'ai tenu ma promesssse et je vous ai dit où vous pouviez dénicher Janu. Pour sssavoir comment, çççа mérite une autre motojet, réplique la sentinelle, toutes dents dehors, en convoitant le véhicule de Peder.

— Pas question, riposte ton copain. On en a besoin.

Les gardes vous font signe d'entrer et, une fois dans les murs de la cité, Peder se tourne vers toi.

— Super ! Maintenant on n'a plus qu'une seule motojet et on ne sait toujours pas comment mettre la main sur Janu. Alors on fait quoi, Monsieur-le-Malin ?

Choisis ton destin...

Si tu décides d'aller explorer la Nouvelle Bibliothèque, rends-toi au 49.

Si tu préfères opter pour la cantina, va au 134.

— Euh… oui, bien sûr… désolé, balbuties-tu. Peut-être pourriez-vous demander à ces droïdes d'arrêter ce tapis roulant ?

— Pourquoi donc ? rétorque-t-il, vexé.

KA-TCHUNK ! KA-TCHUNK ! KA-TCHUNK !

— Parce qu'on pourrait facilement tomber… là-dessous !

M-2XR scrute le puits sans fond et se met aussitôt à biper ses camarades ouvriers, qui lui répondent par d'autres bips.

KA-TCHUNK ! KA-TCHUNK ! KA-TCHUNK !

— Qu'est-ce qu'ils racontent ? demandes-tu.

— Ils disent qu'ils n'ont pas l'autorisation d'interrompre le tapis roulant, et même s'ils l'avaient, ils ne le feraient pas pour nous ! Ils ne manquent pas de culot, ces ingrats !

— Dommage… On y est presque, on n'a plus qu'à sauter une fois au bout ! Merci, espèces de voyous galactiques ! lances-tu aux autres, et M-2XR leur traduit ta phrase.

Tu pousses un soupir de soulagement en arrivant au bout du tapis et t'apprêtes à sauter, quand deux droïdes te saisissent et tentent de te jeter dans la benne à ordures.

KA-TCHUNK ! KA-TCHUNK ! KA-TCHUNK !

— Lâchez-moi ! t'égosilles-tu. Je ne suis pas un déchet. M-2XR, dis-leur !

Le droïde protocolaire te lorgne depuis la cuve où on l'a déposé.

— Je ne peux rien faire ! C'est pas moi qui les ai traités de « voyous galactiques ».

Entre temps, ils sont parvenus à faire entrer tes jambes dans la benne et, d'un instant à l'autre, le compacteur va t'écraser !

Choisis ton destin...

Si tu décides d'user de menaces pour obtenir l'aide de M-2XR, va au 80.

Si tu préfères avoir recours à la flatterie avec lui, rends-toi au 69.

— J'informe le bienveillant Jabba que j'ai découvert une cache de vertex cristallin dans une pièce secrète du monastère des B'omarr, déclares-tu, les jambes flageolantes. Mais la pièce a explosé et son contenu a été détruit, à la suite du féroce combat qui a opposé l'Armée de la République et les Séparatistes.

Aussitôt sifflets et huées fusent dans la salle, alors que Jabba accueille la nouvelle en silence. Après ce qui te paraît une éternité, il déclare :

— Shmee zawka findoo lalee twigla.

On entend des murmures incrédules.

— Proka lemoo faltu zextu pala mee, conclut-il en se tournant vers TC-70.

— Dans sa grande mansuétude, Jabba te croit et déplore la perte d'un tel trésor. Mais comme il ne manque jamais une occasion de gagner de l'argent, tu vas être transporté vers les mines de gaz tibanna, dans la Cité des Nuages, où tu seras vendu à un marchand d'esclaves.

— Mais… euh… je…, bégaies-tu inutilement, avant qu'on t'emmène sous bonne escorte, dans l'attente de ton transfert.

Fin

25

Dès que tu atteins l'entrée, tu te jettes à plat ventre pour éviter un droïde destroyer qui surgit. Tu ignores s'il t'a repéré… mais tu ne vas pas attendre de le découvrir.

Par un pur hasard, tu as atterri près d'un droïde de combat mort et t'en sers comme d'une couverture pour glisser discrètement la main dans ta poche… en quête d'un explosif.

Le droïde destroyer s'est déployé et il tire maintenant avec ses blasters couplés sur les soldats clones à ta droite, de l'autre côté de la cour. Le bruit et la fumée font diversion.

Je l'ai ! Tes doigts se resserrent autour de l'arme et tu l'extirpes de ta poche, mais tu dois te relever pour la lancer et viser juste, car tu es trop loin. Doucement, tu roules sur toi-même et t'assois, sans quitter des yeux le droïde destroyer.

Jusque là, aucun problème… Le droïde est toujours en plein combat contre les soldats.

Tu te lèves prudemment et actives la grenade V-6 haywire, mais tout à coup une voix derrière toi t'interpelle :

— Tu n'es pas un peu jeune pour être un soldat clone ?

Va au 104.

26

Tu n'es pas franchement rassuré à l'idée d'accompagner un parfait étranger au milieu d'un repaire de criminels. Surtout qu'il te semble un peu fou.

— Merci de votre offre, Janu. Mais je crois vraiment que je devrais repartir vers le monastère et chercher mon ami.

Godalhi pousse un grand soupir.

— J'ai bien peur que tu ne puisses y retourner, jeune homme. Et même peu probable que tu puisses rentrer chez toi, dit-il d'une voix triste. Je vais devoir te cacher ici, à la bibliothèque, pour un temps, du moins.

— Que voulez-vous dire ?

— Si les Séparatistes sont en train de construire une super-arme capable de détruire toute la puissance de l'Armée de la République et je pense que c'est le cas, ils ne laisseront pas la vie sauve à celui ou celle qui risque d'avoir vu leurs plans secrets.

— Quoi ? Mais je n'ai rien vu ! te défends-tu, scandalisé.

— Certes, mais ils ne le savent pas. Quelqu'un t'a-t-il aperçu au monastère ? Hormis les soldats clones et les droïdes, je veux dire.

— Eh bien… Il y avait une femme. Grande… avec le crâne rasé et des tatouages.

— Ventress ! s'étrangle Godalhi. L'assassin personnel du Comte Dooku. La situation se révèle plus grave que je le pensais. Toute ta famille risque d'être en danger, si tu rentres chez toi.

Tu te prends la tête entre les mains, en signe de défaite. Te voilà prisonnier de la bibliothèque… Les Séparatistes ont encore gagné !

Tu t'empresses d'entrer les coordonnées de l'hyperespace pour Coruscant « 0,0,0 » sur l'ordinateur de bord, et le vaisseau Credaan décolle.

Une fois sur Coruscant, tu commences par visiter tous les endroits que tu rêvais de voir : l'Opéra des Galaxies, le Palais impérial, et le Temple Jedi. Mais c'est le Sénat qui te laisse sans voix… la taille de la bâtisse est époustouflante !

— Par là, jeune homme ! te crie un vigile en voyant ta tunique, tandis que tu lances des regards émerveillés. J'ai remarqué que tu n'étais pas d'ici.

— En effet, monsieur, réponds-tu, pas le moins du monde vexé. Je suis en visite et je viens de ma planète natale Teth. J'ai toujours voulu voir le Sénat.

— Ahhh… J'ai eu l'occasion de me rendre sur Teth. Une jolie planète, commente le garde en souriant. Ça te plairait de voir la Grande chambre de Convocation ? Je peux te laisser y jeter un œil, mais tu devras être aussi discret qu'un b'oat, car le Sénat est en séance.

Tu hoches joyeusement la tête et oses à peine croire à ta chance, puis tu suis le vigile jusqu'à une toute petite porte. Tu entres et découvres, au cœur de l'Assemblée suprême, le Chancelier Palpatine qui s'adresse aux sénateurs depuis le podium central.

— C'est fort possible, Sénatrice Amidala, déclare-t-il. Mais jusqu'ici toute action irréfléchie à l'encontre des Séparatistes n'a jamais été couronnée de succès.

Tu aperçois alors Padmé Amidala qui flotte sur sa plate-forme à répulseurs… et elle n'a pas l'air ravie !

Passe au 102.

— Heureusement, tu n'as rien ! t'exclames-tu, soulagé. S'il t'était arrivé quelque chose, je m'en serais voulu à mort !

— En fait, quelque chose m'est arrivé... Je me suis tordu la cheville, tu te rappelles ? réplique Peder, un peu gêné par ton témoignage d'affection. Sinon, t'as entendu ce que je t'ai dit ? J'ai trouvé le turbo-ascenseur !

Tu jettes un regard par-dessus ton épaule et constates que les soldats clones sont déjà sur place.

— Il fonctionne ? demandes-tu à Peder.

— Ouais, impeccable ! Génial, hein ? dit-il en te faisant un clin d'œil.

Soudain, le chef des soldats clones s'approche de toi.

— Tu nous accompagnes toujours ? te demande-t-il en regardant Peder d'un air entendu.

Passe au 51.

Tu sens soudain la motojet disparaître au-dessous de toi, tandis qu'Obi-Wan utilise la Force pour vous propulser tous deux dans la cabine, juste au moment où les portes se referment en coulissant derrière toi. La motojet se fracasse contre elles, sur le palier.

— De justesse !

— Exact, approuve Obi-Wan d'un ton glacial, alors que le turbo-ascenseur amorce sa descente. Sinon, ne te vexe pas, mais… qu'est-ce qu'un jeune Tethien comme toi vient faire avec sa motojet dans un repaire de contrebandiers, au beau milieu d'une bataille ?

— Les rumeurs sont donc fondées, c'est un repaire de fraudeurs ? répliques-tu.

— Tout à fait ! confirme Obi-Wan en gardant un œil sur le défilement des étages. Pourquoi cette question ?

Tu lui expliques que tu as vu le schéma de la super-arme de la taille d'une lune sur l'écran, et le peu que tu sais au sujet des livraisons de vertex cristallin.

— Je suis d'accord avec toi, dit Kenobi, une fois que tu as terminé. Cette arme se révèle bien trop gigantesque pour appartenir à des contrebandiers. Elle ne peut être que l'œuvre des Séparatistes.

— Alors qu'allons-nous faire ? demandes-tu en insistant sur le *nous.*

— Nous allons nous débrouiller pour faire raser le Château du Hutt ! annonce-t-il sans plus de cérémonie.

Rends-toi au 138.

30

Une fois les portes fermées, tu presses le bouton pour monter, quand brusquement le tableau de commandes se met à clignoter de manière incontrôlable.

Oh-oh… le turbo-ascenseur est déréglé ! Je ferais mieux de sortir…

Tu appuies sur le bouton pour descendre, mais rien ne se produit et tu restes là, impuissant, tandis que l'ascenseur monte rapidement avant de s'arrêter de nouveau d'un seul coup.

Tu presses le bouton censé débloquer les portes, mais en vain.

Me voilà pris au piège comme un rat !

Mais en examinant un interstice où les portes sont disjointes, tu comprends que tu te trouves entre deux étages !

Pour l'amour de Pandit, qu'est-ce que je vais faire ?

Tu promènes ton regard ici et là… et remarques alors une petite trappe dans le plafond.

À force de bondir sur place en tendant les bras, tu parviens à faire sauter le panneau, puis à te hisser par la brèche sur la cabine.

— Simple comme bonjour ! t'écries-tu, fier de toi… avant de voir ce qui t'attend.

La cage du turbo-ascenseur, tapissée de vieux tuyaux et de câbles, se trouve quasiment dans le noir, hormis un rais de lumière en provenance des portes ouvertes quatre étages au-dessus. Il n'y a pas trente-six manières d'y accéder…

— Super ! t'exclames-tu en tirant d'un coup sec sur le câble qui relie l'ascenseur au sommet de la cage, afin de tester sa solidité.

Puis tu commences à monter par à-coups, cramponné au câble. Tu as gravi cinquante mètres quand tu ressens soudain une secousse entre les mains… Tu baisses les yeux et vois la cabine qui monte lentement vers toi…

Continue au 45.

31

— Qu'est-ce qui te prend, petit ? hurle Obi-Wan. Ces charges explosives vont sauter. Sauve-toi vite !

L'espace d'une seconde, tu te dis que tu as peut-être pris la mauvaise décision.

Passe au 37.

— Je m'appelle Janu Godalhi et suis l'ami du Maître Jedi Plo Koon. Je dois m'approcher afin de désactiver le système ! prévient-il en s'adressant aux soldats clones.

— Approchez !

Tu vois Godalhi se lever et révéler sa position aux clones postés dans le couloir, et tu te demandes ce qui le pousse à leur faire confiance.

— J'en reviens pas qu'il aille neutraliser le système, murmure Peder. Comment savoir s'ils sont vraiment ce qu'ils disent être ?

— Figure-toi que je pensais à la même chose, dis-tu d'un ton lugubre.

Mais comme Godalhi passe devant les caisses derrière lesquelles vous êtes cachés, il vous fait signe « Ne bougez pas ! », et tu te rappelles qu'en tant qu'expert en sécurité et ancien policier de la planète Teth, il est méfiant par nature.

— Laissez-moi juste le temps de désactiver le système… voilà. La voie est libre ! crie-t-il aux militaires.

Tu entends le bruit des pas et Godalhi, qui a repris sa personnalité de vieux bonhomme (ce qui n'est qu'un stratagème, tu l'as compris, pour dérouter les éventuels suspects), les interpelle :

— J'ai vu les vaisseaux de la République survoler le secteur ce matin, et je me suis dit qu'ils étaient en route pour le monastère des B'omarr, alors je venais voir si je pouvais vous aider. Mais si tout cela est terminé, vous m'avez évité un déplacement pour rien ! Loin de moi l'envie de vous apprendre votre métier, mais est-ce que vous ne devriez pas prévenir votre officier supérieur que vous avez localisé un civil ?

— Monsieur ? entends-tu l'un des clones prononcer, puis *POW-POW-POW !*

— Ils ouvrent le feu sur Janu ! s'écrie Peder en se relevant.

— Baisse-toi ! lui hurles-tu en l'attrapant par sa tunique.

Tout à coup, tu entends une cavalcade dans le couloir. Janu Godalhi !

Il plaque Peder à terre, tout en se glissant derrière la caisse.

— Ouf ! Vous n'avez rien ? s'exclame ton ami, soulagé.

— Bien sûr que non ! Tu ne pensais quand même pas que j'allais neutraliser le système, sans vérifier l'authenticité de ces soldats ! J'ai compris que quelque chose clochait quand ils n'ont pas prévenu la base pour faire leur rapport.

— Qui sont-ils ? demandes-tu, juste au moment où la caisse reçoit un tir de blaster.

— Pas le temps de t'expliquer ! J'ai activé un champ de Cri'ardon, qui devrait les retenir pendant cinq bonnes minutes, mais ensuite… (Godalhi hausse les épaules, puis sort un blaster.) Tiens, dit-il en le lançant sur tes genoux. Reste en position et tire sur tout ce qui bouge. Toi, ajoute-t-il en désignant Peder, viens avec moi. On doit faire marcher le turboascenseur. Ces faux soldats l'ont fait monter en flèche !

Tu n'as jamais utilisé un blaster, mais comme tu as la tête baissée, tu poses le canon sur le haut de la caisse et tires à l'aveuglette dans le hall.

Une minute plus tard, le visage en sueur, tu jettes un œil sur le côté de la caisse et découvres trois soldats clones anéantis ! Soudain, Godalhi apparaît derrière toi.

— Ça va, petit ?

— Des clones. Ils essayaient de nous tuer, réponds-tu, ahuri.

— Un spécialiste du maniement du Côté Obscur de la Force les a reprogrammés, explique-t-il.

Tu perçois un bruit. *CCCCLLLLIIICK !*

— Le champ de Cri'ardon est violé ! s'étrangle Godalhi, en arrachant le blaster de ta main qui semble paralysée. Peder est dans le turbo-ascenseur, viens !

Il court vers la cabine, sans se rendre compte que la peur te pétrifie sur place !

Tu entends courir dans le hall, puis trois soldats clones passent à toute vitesse et tirent en rafale sur Godalhi, qui bat en retraite dans la cabine.

Depuis ta cachette, tu aperçois le visage angoissé de Peder, bouche bée, tandis que les portes de l'ascenseur se referment.

Te voilà tout seul à présent !

Passe au 53.

— Impossible ! t'égosilles-tu. Je ne peux pas vous assassiner, Janu !

— Pfft ! Les humains et leur sssentimentalisssme ! grimace Rohk d'un air écœuré. Eh bien, moi je peux !

Il braque son blaster sur Godalhi, qui se jette derrière une pile de caisses.

Puis tout se déroule au ralenti... Tu observes le Trandoshan, alors qu'il avance vers les caisses. Soudain, tu te souviens des explosifs que tu as glissés dans tes poches quand tu es arrivé au monastère des B'omarr ! Tu saisis une grenade, l'actives et la brandis.

— Rohk ! t'écries-tu.

Il se tourne vers toi. Mais, en voyant la grenade, il se met à glousser.

— Tu ne vas pas le faire, dit-il calmement. Sssi tu l'actives, on meurt tousss.

— Je sais bien que vous ne m'auriez pas laissé la vie sauve, même si j'avais tué Janu ! Et, au cas où vous ne l'auriez pas remarqué, sachez qu'elle est déjà activée. Alors, on va tous y passer...

Fin

34

— Jamais je ne rejoindrai le Côté Obscur ! vocifères-tu en tirant en rafale.

Ventress virevolte et pare les tirs, tout en avançant vers toi.

— C'est inutile, vermisseau ! Tu ne me vaincras jamais ! hurle-t-elle, en usant de la Force pour détourner ton bras, de sorte que tu te mets à mitrailler la salle du trésor.

Un tir de blaster ricoche sur l'une des caisses et t'atteint à la jambe. Tu pousses un cri et t'effondres, en lâchant l'arme qui glisse au sol.

— Le vermisseau s'est tiré dessus ! se moque Ventress en te voyant te tordre de douleur.

Elle s'approche et te domine de toute sa hauteur.

— Ça faisait longtemps que je ne m'étais pas autant amusée, avoue-t-elle. En guise de récompense, je vais vous laisser la vie sauve, à ton ami et toi.

Tu gémis tandis qu'elle examine ta blessure.

— Tu t'en remettras, dit-elle. Mais si nous devons nous recroiser, petit, sache que je ne me montrerai pas aussi clémente.

Elle t'enjambe et disparaît dans le hall, sa cape flottant dans son sillage.

Fin

— Je ne rejoindrai jamais le Côté Obscur de la Force ! vocifères-tu en t'éloignant du Comte Dooku.

— Une immense colère t'habite, jeune homme, déclare-t-il, imperturbable. Nous l'augmenterons avec notre amplificateur cybernétique d'agressivité… et ensuite nul ne pourra t'arrêter.

— Hors de question ! hurles-tu, en reculant encore. Je ne vais pas vous laisser me transformer en… monstre !

— Je crains que tu n'aies guère le choix, petit, rétorque Dooku en usant de la Force pour ouvrir la porte derrière toi.

Mais alors que tu paries déjà sur ta liberté, Ventress surgit, menaçante, et te barre le passage.

— Va préparer mon vaisseau pour le départ, lui ordonne le Comte Dooku, triomphant. Et emporte notre petit butin avec toi !

— Pas question d'attendre qu'ils viennent m'exploser la cervelle ! t'exclames-tu en courant vers l'entrée du vaisseau.

Mais tu constates que la clairière est devenue le théâtre d'un chaos monstre !

Les soldats clones tirent sur la flotte des chasseurs STAP, alors que le Jedi Plo Koon se sert de son sabre laser pour détourner les tirs de barrage des canons STAP.

Deux STAP entrent en collision en voulant échapper à un bombardier qui plonge sur eux en piqué... Et les éclats d'obus qui en résultent manquent de peu Maître Koon.

Tout à coup, tu perçois le *WHIZZZZZZ !* du canon laser... et *BOUM !* le vaisseau est secoué et l'écran en transparacier explose ! Te voilà projeté à terre sous une pluie d'éclats de métal transparent.

— Et moi qui attends qu'on vienne me cueillir ! t'exclames-tu, certain que les Séparatistes vont survoler le vaisseau.

Tu t'approches prudemment de l'entrée et hasardes un coup d'œil au-dehors. Les droïdes de combat envahissent la clairière... Tu dois déguerpir au plus vite !

Tu sautes à terre, puis te faufiles sous le vaisseau, l'oreille tendue... au cas où des STAP te débusqueraient. Puis tu rampes dans l'herbe jusqu'à ce que tu parviennes de l'autre côté.

Tu scrutes les parages… La voie est libre. Tu t'extirpes de dessous l'engin et fonces te réfugier dans les feuillages. Il était temps ! *BOOOOUM !*

Le vaisseau est touché ! Tu es hors de portée de la boule de feu, mais la puissance de l'explosion te soulève et te projette contre un tronc d'arbre.

Tu gis à terre, le souffle coupé, sachant que tu dois te relever et te cacher d'éventuels autres STAP qui risquent de débarquer.

Tu te redresses et du sang coule le long de ton visage, mais tu n'as rien de cassé et te diriges vers l'imposant plateau.

J'aurais dû rester avec Peder… Mais je dois me débrouiller seul désormais !

Continue au 90.

— Mais tu l'as prise, alors agis !

Je peux y arriver ! Je peux aller à l'autre bout de ce couloir, puis revenir surprendre Ventress et ses droïdes en les attaquant par l'arrière.

… 6… 5… 4…

Tu bondis par-dessus les charges posées devant la porte et piques un *sprint* dans le hall.

Tu allonges tes foulées, encore une… Tu y es presque…

Tout à coup, tu perçois un bruit… ce n'est plus le tic-tac de la minuterie, mais l'amorce d'une déflagration, et tu comprends que tu as échoué…

— Tout va bien, Quar, ce jeune homme m'accompagne, déclare Godalhi, en indiquant à son interlocuteur qu'il peut baisser son arme, avant de se tourner vers toi. Je t'ai pourtant demandé de m'attendre, non ?... Bref, Quar Rohk ici présent me confirmait ce que j'ai entendu dire, à savoir que les Séparatistes prévoient de construire une super-arme et que celle-ci est très coûteuse.

— Les Ssséparatissstes sssous-traitent le travail auprès de différents fournisssssseurs, comme ççça, aucun n'a les plans complets du projet, explique Rohk. Et aucun ne risssque de pouvoir vendre le sssecret. La République ssserait prête à payer cher pour sssavoir ccce que mijotent les Ssséparatissstes.

La convoitise fait briller les yeux de Quar Rohk. *Il ne m'inspire pas confiance*, songes-tu.

— As-tu eu vent de la somme qu'ils sont prêts à verser pour cette arme ? lui demande Godalhi. Cette guerre doit sérieusement vider les coffres des Séparatistes.

— Cccertains invessstisssssseurs privés sssont prêts à mettre la main à la poche. Sssi les Ssséparatissstes remportent la guerre, il y aura de nouvelles dissscusssssions sssur les échanges commercccciaux, et, dans le clan des banquiers, j'ai entendu parler d'immunité contre toutes pourssuites.

— Jabba le Hutt..., intervient Godalhi en lançant un regard entendu au Trandoshan, qui se contente de hausser les épaules. Jabba le Hutt est un seigneur du crime. Il possède les grandes routes commerciales de la Bordure Extérieure, ce qui fait de lui un allié de la République et des Séparatistes. Il est impitoyable et a bâti sa fortune sur l'intimidation. Quand ça ne marche pas comme il l'entend, il fait tout bonnement assassiner ses ennemis.

— Si c'est un criminel, pourquoi la République traite avec lui ? questionnes-tu.

— C'est une créature incontrôlable, explique Godalhi. Si la République lui déplaît, il ralliera les Séparatistes. Et Jabba le Hutt a le bras long... Nul ne peut échapper à sa vengeance...

Passe au 68.

Je ne peux pas le laisser agir seul… Qui sait quel genre d'ennuis il va encore s'attirer ?

Le cœur battant, tu fonces dans la jungle, en suivant l'itinéraire que Peder a dû emprunter.

Outre les coups de canon réguliers, le vacarme du combat est de plus en plus fort. À mesure que tu t'approches du plateau, tu aperçois les éclairs des tirs de blasters qui ripostent. Soudain, à ta gauche, des bruits de pas… et une silhouette bondit sur toi, en te plaquant au sol.

Peder !

— Qu'est-ce qui te prend ? lâche-t-il dans un souffle. Tu allais débouler au beau milieu d'une bataille !

— Je te cherchais ! Donc, ça aurait été de ta faute !

Peder hausse un sourcil ironique, comme d'habitude, et s'apprête à répliquer, quand vous réalisez tous les deux que vous n'êtes pas seuls. Vous vous retournez sur un blaster braqué sur vous…

Continue au 72.

Devant toi, des centaines de chasseurs Séparatistes descendent en piqué sur les sommets de la Cité des Nuages, qui semble flotter dans la brume, et tu repères une boule de feu chaque fois qu'une cible est atteinte.

La brutalité de l'assaut laisse la ville totalement démunie et, même si les forces de sécurité ont décollé pour contrecarrer l'attaque, elles ne peuvent pas réagir face à la puissante machine de guerre Séparatiste.

— Mets la gomme sur les boucliers défensifs arrière ! aboie Calrissian.

Voyant que tu hésites, il se penche au-dessus de toi et accomplit la manœuvre.

— Pas le temps de tout t'expliquer, petit, ajoute-t-il en souriant. Et si tu montais dans la tourelle ? Mais ne tire pas tant que je te donne pas le signal ! Pas question d'attirer l'attention. Ils risquent quand même de laisser passer le menu fretin comme nous.

Pilote chevronné, Calrissian met le *Jostaar Express* à l'épreuve. Il évite les chasseurs et les tirs défensifs en provenance des supercanons de la Cité des Nuages... Tu pousses un soupir de soulagement quand vous quittez enfin cet espace aérien hostile, sans avoir dû faire feu.

— On a réussi ! t'exclames-tu en regagnant le cockpit. On peut rentrer chez nous !

— Exact, fiston, mais je dois d'abord livrer cette cargaison de minerai à mon client sur Socorro, réplique Raan, sourire aux lèvres. Les affaires passent avant le plaisir, petit !

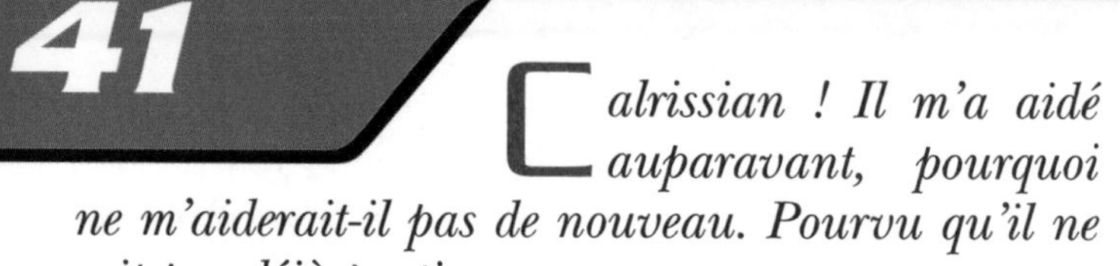

41

Calrissian ! Il m'a aidé auparavant, pourquoi ne m'aiderait-il pas de nouveau. Pourvu qu'il ne soit pas déjà parti.

Tu rebrousses chemin et piques un *sprint* dans le couloir. Toutes les alarmes de la Cité des Nuages se déclenchent en même temps…

Tu t'approches de l'aire de chargement et vois des centaines de gens effrayés qui se bousculent pour s'engouffrer dans un corridor.

Sans doute l'accès aux spatioports ! songes-tu. Tu lèves le nez sur le panneau : PORTES 120 à 145. Le hall est tellement bondé que la foule avance à peine.

Je n'arriverai jamais à temps au vaisseau de Calrissian… Il y a trop de voyageurs ! Si seulement je connaissais un raccourci…

Tu repères une grille de ventilation. Tous les conduits de cet étage doivent communiquer entre eux. *Je devrais pouvoir trouver la porte 134…*

Mais es-tu prêt à tenter ta chance ?

Choisis ton destin…

Si tu décides d'opter pour ce « raccourci », va au 12.

Si tu préfères te mêler à la foule, rends-toi au 18.

Tu suis le soldat et entres dans une clairière située à 500 m environ de la base du plateau, en prenant soin de rester hors de portée des canons laser Séparatistes qui tirent depuis tout en haut.

Quatre énormes vaisseaux de combat LAAT/i parsèment la clairière et tu cherches toujours Peder, mais il semble que les soldats ne l'ont pas trouvé.

En portant ton regard le long du versant de l'imposante falaise qui assombrit cette partie de la jungle, tu parviens à discerner les minuscules silhouettes des soldats qui préparent leur attaque, aidés par les monstrueux RT-TT.

— Par ici, indique ton escorte en montrant l'entrée ouverte d'un des vaisseaux de guerre.

À l'intérieur, un capitaine clone est assis devant un énorme écran en transparacier et suit les avancées des troupes sur la carte.

— Capitaine, voici le Tethien dont je vous ai parlé, annonce le soldat, qui te laisse en présence du chef de corps.

L'officier se tourne lentement sur son fauteuil pivotant, te regarde de haut en bas et n'a pas l'air d'apprécier ce qu'il a sous les yeux.

— Qu'est-ce que tu fabriques en pleine

jungle ? Tu aurais pu te faire tuer ! On n'a pas le temps de s'occuper des jeunes Tethiens qui réclament qu'on vienne les sauver !

—Je n'ai pas demandé à ce qu'on me sauve, ripostes-tu, le visage rouge de colère. On m'a amené ici sous la menace d'un blaster !

— Bien sûr, et je te présente mes excuses, dit le capitaine à ta plus grande surprise. Le problème, c'est que tu es très jeune pour te trouver ici, en plein milieu d'une opération sous couverture.

—Je ne suis pas si jeune que ça, te défends-tu, un peu plus calme. J'ai le même âge que certains padawans qui sortent de l'Académie, et je suppose qu'il y en a parmi vous ici. En plus, je connais bien la région, alors peut-être que je peux vous aider ?

Tu perçois un bruissement d'étoffe derrière toi, tandis que le capitaine clone se lève d'un seul coup et fait le salut miliaire.

Tu te retournes et découvres un grand Kel Dor dans l'entrée, une cape sombre flottant sur ses épaules et un sabre laser sanglé à son flanc. Un Jedi !

— Bravo, jeune Tethien ! grogne le nouveau venu, avant de regarder l'officier clone. Une bonne connaissance de la région peut nous être fort utile, en effet.

— Général Plo, je… j'ignorais que vous étiez arrivé, bredouille le capitaine clone, alors qu'un soldat fait irruption dans le vaisseau sans prendre la peine de saluer ses supérieurs.

— Capitaine ! Un escadron de droïdes de combat sur véhicules STAP approche ! hurle-t-il.

Tout à coup, tu te sens tout petit et bien insignifiant, tandis que le Jedi Plo Koon aboie ses ordres pour défendre la base. Les intrépides soldats clones s'arment de blasters et foncent à l'extérieur pour affronter l'ennemi.

Tu entends au loin le gémissement haut-perché des combattants qui débarquent…

Choisis ton destin…

Si tu décides de rester auprès de Plo Koon, rends-toi au 6.

Si tu préfères ne pas quitter le vaisseau, va au 78.

Si tu optes pour la fuite, rends-toi au 36.

Si tu décides de suivre le capitaine clone, va au 19.

43

— Il y a au moins un truc que vous ne savez pas faire ? murmures-tu, épaté.

Godalhi ne te répond pas, car Rohk et lui sont déjà dans la pièce.

Tu leur emboîtes le pas et découvres les centaines de caisses qui remplissent la salle.

Rohk s'empresse de sortir son blaster et tire sur l'une d'elles pour l'ouvrir.

— Du vertexxx crissstallin ! s'exclame-t-il, éberlué. Hé, petit, ouvres-en une autre !

Il te lance le second blaster qu'il dissimulait sous sa cape et tu ouvres une autre caisse en tirant dessus.

— Celle-ci renferme aussi du vertex cristallin, annonces-tu, stupéfait.

Tu observes ensuite Rohk qui passe d'une caisse à l'autre pour vérifier son contenu. Chacune d'elles regorge d'une des matières premières les plus précieuses de la galaxie.

— Nous sssommes riches ! s'enthousiasme Quar Rohk. Avec autant de vertexxx crissstallin, on peut acheter Jabba le Hutt et, avec tout ccce qui nous ressstera, ssse lancccer dans l'élevage de sssangsssues !

— Ça suffit ! s'énerve Godalhi. Nous ne sommes pas venus pour rafler le trésor, mais afin de prouver que les Séparatistes prévoient de construire une super-arme !

— Çççа, ccc'est ta verssssion, Godalhi, réplique Rohk. Moi, je t'ai accompagné pour mettre la main sssur le magot.

— Tu savais qu'il se trouvait là ? demande Godalhi, sous le choc.

— Tu ne t'imagines quand même pas que j'allais courir le risssque de me frotter à une bande de Ssséparatissstes, sssi çççа ne me rapportait pas quelque chose ? ricane Rohk. Et je ne parle pas de la poignée de crédits que tu me versssses contre mes informatttions.

— Tu ne peux pas t'emparer du vertex cristallin ! Il est plus que probable qu'il appartienne à Jabba le Hutt. Il te tuera. Nous devons le détruire et maquiller cela en accident... Ainsi, les Séparatistes ne se douteront pas qu'on les soupçonne.

— Mais qu'est-ccce que tu racontes, le vieux ? riposte le Trandoshan en colère.

— Voilà comment je vois la situation, explique Godalhi. Les Séparatistes envisagent de construire une super-arme et ils ont besoin de financements. Jabba leur donne l'argent nécessaire, ou disons qu'il investit son vertex cristallin dans le projet. Ce qui lui garantit que les Séparatistes le traiteront avec respect et équité, une fois la guerre finie. Mais ils sont capables de s'entretuer dès qu'ils n'auront plus besoin l'un de l'autre.

— Eh bien, moi je n'ai plus besoin de vous ! décrète Quar Rohk d'un ton diabolique en braquant son blaster sur toi. Hé, le gossssse ! Ramassse tout doucccement le blassster et dessscends le vieux ! t'ordonne-t-il.

— Moi ? Pour...pourquoi je... je ferais ça ? bredouilles-tu, terrorisé, en lorgnant l'arme que tu as posée pour aller voir le trésor.

— Je manie le blassster beaucoup mieux que toi, petit, alors ne fais pas l'imbécccile, prévient Rohk, certain que tu vas te jeter sur l'arme. Si tu te débarrasssses pas de lui, je me débarrasssse de toi !

— Obéis-lui, te conseille Godalhi d'une voix attristée. Je suis un vieillard, j'ai fait mon temps, alors que ta vie commence...

Choisis ton destin...

Si tu décides d'abattre Janu Godalhi pour sauver ta peau, rends-toi au 54.
Si tu préfères refuser, passe au 33.

— Je… je connais une entrée secrète, finis-tu par déclarer.

— Tu es très solide, petit, déclare Koon en posant une main sur ton épaule. Tu peux nous aider. Tu vas diriger un peloton de soldats clones vers l'entrée secrète et ensuite, tu rentres chez toi. Entendu ?

Tu acquiesces et Maître Koon rassemble des soldats pour t'accompagner. Dès que tu t'approches du pied du plateau, tu entends les STAP bombarder la base derrière toi, et tu espères que les soldats se défendent bien.

Chaque jeune habitant de Teth sait qu'il existe un turbo-ascenseur dissimulé sur le versant du plateau, sous les plantes grimpantes qui masquent sa façade. Tu ne l'as jamais vu, mais tu sais qu'il doit se trouver quelque part…

Soudain, tu aperçois une silhouette dans l'herbe… C'est Peder : il est blessé !

— Peder, tu vas bien ? demandes-tu en courant vers lui pour t'agenouiller à ses côtés.

— Ouais, ça va… Mais je crois que je me suis tordu la cheville.

Puis il ajoute fièrement :

— Mais juste avant, je me suis débrouillé pour découvrir le turbo-ascenseur secret !

Choisis ton destin...

Si tu décides que Peder a besoin d'un droïde médecin, va au 105.

Si tu préfères accompagner les soldats clones, rends-toi au 28.

— Allons bon ! C'est quoi, ça ? hurles-tu, alors que le câble devient brûlant, à mesure que l'ascenseur prend de la vitesse en montant vers toi...

— Ohé ? te crie quelqu'un.

Tu lèves le nez et découvres une grande créature menaçante, entre les portes ouvertes au-dessus.

— Hé vous, là-haut ! Appuyez sur le bouton pour descendre ! Faut à tout prix stopper cet ascenseur !

La créature disparaît un bref instant, avant de ressurgir.

— Ççça ne marche pas ! Il doit être cassssé ! te crie l'inconnu. Tu dois sssauter sssur le toit de la cabine quand elle arrivera à ton niveau, puis bondir à nouveau, une fois parvenu à cccet étage.

— C'est pas un peu risqué ? t'affoles-tu en t'agrippant de plus belle au câble, alors que la cabine n'est plus qu'à 20 m et se rapproche encore.

— Sssoit tu sssautes, sssoit tu te fais écrabouiller une fois là-haut ! te crie-t-il en souriant jusqu'aux oreilles. Attention... T'es prêt ? 1... 2... 3... vas-y !

Tu te laisses tomber sur le haut de la cabine

et trébuches sur des câbles, avant d'atterrir à genoux.

Tu te redresses comme tu peux et découvres la silhouette d'un Trandoshan de deux mètres de haut qui se découpe sur le palier.

— Maintenant, sssaute vers moi. Je vais te rattraper, t'assure-t-il.

Choisis ton destin...

Si tu décides de faire confiance à cet étranger, rends-toi au 108.
Si tu préfères te faufiler dans la cabine et espérer que tu auras de la chance, passe au 61.

Il faut je tente quelque chose ! Le blaster, bien sûr !

Tu cours vers la caisse, où Rohk l'a posé. Tu le récupères et fonces dans le hall.

— Stop, Ventress ! menaces-tu, l'arme pointée sur elle.

Rohk est à genoux devant elle, le double sabre laser pointé au-dessus de sa tête.

— On joue les héros ? se moque-t-elle.

— Posez le sabre ! hurles-tu.

Ventress use de la Force pour repousser Rohk, puis se tourne à nouveau vers toi. Tu fais feu, mais elle pare facilement le coup.

— Il n'y a plus que toi et moi à présent, roucoule-t-elle.

Rohk a dû se cogner la tête quand elle l'a projeté contre le mur, car il gît à terre, inconscient… quoique indemne… pour l'instant.

— Je vais te laisser une chance, petit, reprend Ventress. Tu me rejoins du Côté Obscur de la Force ou je te détruis sur-le-champ.

Choisis ton destin…

Si tu décides de céder à Ventress, va au 109.
Si tu préfères la combattre jusqu'à la mort, rends-toi au 34.
Si tu optes pour la fuite, passe au 89.

47

Tu observes Godalhi se faufiler entre les tables pour rejoindre le Trandoshan. Après avoir échangé quelques paroles, le duo disparaît derrière une tenture, à l'autre bout de la salle.

C'est stupide ! t'énerves-tu. *J'ai pas envie d'être traité comme un bébé. Je veux découvrir si le contact de Janu sait ce qui se manigance au monastère des B'omarr. Pas question d'être exclu !*

Tu quittes alors la salle en jouant des coudes parmi les clients, jusqu'à ce que tu parviennes au rideau, que tu soulèves pour te retrouver dans une alcôve où se tiennent Godalhi et le Trandoshan, qui braque aussitôt son blaster sur ta poitrine…

Continue au 38.

Tu te réveilles sur le sol en pierre d'une vaste réserve. Tu te lèves et découvres que la salle est remplie de caisses métalliques.

Quelqu'un a dû me transporter ici quand j'étais inconscient.

La porte étant verrouillée, il n'y a rien à faire sinon attendre…

Tu n'as pas à attendre longtemps. La porte s'ouvre soudain et ton pire cauchemar se profile dans l'entrée… Ventress !

— Tu es enfin réveillé, jeune homme, dit-elle en se glissant dans la pièce.

— Co…comment je suis arrivé ici ? balbuties-tu en claquant des dents, tellement tu es effrayé.

— Grâce aux pouvoirs du Côté Obscur de la Force, je t'ai mis à l'épreuve, répond-elle. Je t'ai offert deux choix. Tu dois être bien déçu d'avoir rejeté les Siths pour choisir de suivre les Jedi. Tu défends la cause de la République, mais tu vas souffrir à présent pour ta loyauté envers tes misérables amis Jedi ! crache Ventress.

Puis elle ajoute d'une voix mielleuse :

— Toutefois, j'ai une dernière épreuve à te proposer. Ces caisses en métal renferment une énorme quantité de vertex cristallin, l'un des minerais les plus précieux de la galaxie. Elle sont scellées mais peuvent s'ouvrir grâce au boîtier encastré dans le mur, près de la porte. Il n'y a qu'un seul moyen d'ouvrir les caisses. Si tu y parviens, je te laisserai t'en aller et prendre autant de vertex que tu pourras en porter.

Elle précise dans un sourire narquois :

— Mais si tu échoues… le sol s'ouvrira sous tes pieds et tu tomberas dans la fosse au rancor, juste au-dessous… Ne va pas imaginer que tes amis soldats clones vont venir à ta rescousse. La bataille fait rage et ils ont déjà oublié leur petit espion Tethien !

— Je ne travaille pas pour la République. Pourquoi faites-vous ça ? demandes-tu.

— Parce que je suis bonne joueuse…, répond Ventress avant de sortir.

Va au 119.

— Il faut d'abord demander notre chemin, dis-tu en voyant la foule qui arpente les rues.

Après avoir interrogé trois personnes, vous êtes enfin renseignés et ne tardez pas à vous retrouver au cœur d'une salle caverneuse… dans l'attente que le portier annonce à Janu Godalhi qu'il a des visiteurs.

— T'as pensé à ce que tu vas dire ? te chuchote Peder.

— Moi ? Enfin, c'était ton idée !

— OK…

Au même moment, une porte s'ouvre au fond de la pièce et un petit homme replet apparaît, en cherchant visiblement quelqu'un.

Peder s'avance et te présente à Janu Godalhi.

— Aaaah, jeunes gens ! s'écrie-t-il, rayonnant de plaisir. Quelle agréable surprise ! Suivez-moi et tâchons de trouver un coin pour bavarder.

Vous passez dans une pièce plus petite, et Peder s'empresse de raconter à votre hôte tout ce que vous avez vu dans la jungle.

Au fil du récit de ton ami, tu observes Godalhi attentivement, notant au passage que son sourire ne semble jamais s'effacer.

Aussi instable que du cristal midlithe ! songes-tu, avant de te rappeler qu'il s'agit non seulement d'un expert en sécurité, mais qu'il a aussi assisté les Jedi lors d'un certain nombre d'opérations secrètes.

— Hmmm… les Séparatistes se terrent dans le monastère des B'omarr, pas vrai ? dit Godalhi comme s'il pensait à voix haute. Vous savez, jeunes gens, que ce monastère est utilisé par le grand clan des Hutts… et beaucoup d'autres contrebandiers… Un endroit sûr pour cacher leurs marchandises, vous saisissez ?

Peder et toi secouez la tête, stupéfaits.

— Vous l'ignoriez ? poursuit Godalhi en souriant. De même qu'il existe un tunnel secret entre le monastère et… cette bibliothèque ?

— Quoi ! s'écrie Peder, avant de baisser aussitôt le ton. Eh bien, allons-y. Ce que je veux dire, monsieur, c'est que si on peut aider la République d'une manière ou d'une autre…

Pour la première fois depuis votre arrivée, tu notes que le sourire de Godalhi s'estompe, tandis que son visage prend un air un peu fourbe.

— La République n'a pas voulu écouter mes conseils pendant la Bataille de Géonosis…, dit Godalhi, songeur.

Brusquement son visage s'éclaircit et le voilà redevenu ce vieux sage un soupçon excentrique.

— Mais tout ça appartient au passé, bien sûr, reprend-il, et si vous, les jeunes, souhaitez aider les Jedi, alors oui, rendons-nous sur-le-champ au monastère des B'omarr !

Vous vous apprêtez à franchir la porte, lorsque Godalhi vous attrape tous les deux par le bras et vous prévient d'une voix ferme :

— Attention ! Vous devez m'obéir au doigt et à l'œil !

Tu sens un frisson te parcourir la colonne vertébrale, mais Peder et toi hochez la tête, et Godalhi desserre son emprise.

— Fort bien ! Fort bien ! se réjouit-il. Mettons-nous en route, voulez-vous ?

Choisis ton destin...

Si tu décides de faire confiance à Janu Godalhi, va au 5.

Si tu n'as pas confiance en lui, rends-toi au 65.

50

Tu décides que le droïdeka ne risque pas de tirer sur toi, alors que sa maîtresse, qui doit travailler pour les Séparatistes, se trouve dans la ligne de tir.

Je peux sans doute mettre le droïdeka hors d'état de nuire avec cette grenade et devancer cette diablesse, songes-tu, en réalisant que c'est peut-être ta seule chance.

Tu virevoltes à nouveau et, une fois face au droïde, tu lances la grenade le plus loin possible, avant de t'aplatir au sol pour éviter les éventuelles retombées.

CRRRRIIIICCCCIIIIK !

Un milliard d'électrons engloutissent le destroyer, qui grésille, tandis que des éclairs transpercent les droïdes autour. Tu as réussi !

Tu te relèves tant bien que mal et te précipites vers l'entrée du monastère.

Tu n'as fait que quelques pas quand tu sens quelque chose voler au-dessus de ta tête et, tout à coup, une femme se dresse entre la porte et toi. Terrifié, tu changes aussitôt de direction, et la femme te barre à nouveau le chemin. Visiblement ravie de son petit manège, elle arbore un sourire plus cruel que jamais.

— Ça ne sert à rien ! Tu ne peux m'échapper !

Elle s'élance sur toi, puis arrache ton casque.

— Aaaah, un gamin ! grimace-t-elle, étonnée. C'est parfaitement écœurant !

Tout en te débattant pour t'échapper, tu sens dans ta poche le blaster et les explosifs heurter ta jambe. Tu les avais complètement oubliés ! Si seulement tu pouvais les saisir.

— Fais ta dernière prière, car moi, Ventress, je vais t'envoyer rejoindre tes divinités !

Elle lève un sabre laser.

— Lâche cette arme ! entends-tu crier de la bouche d'un soldat clone.

Ventress desserre son emprise sur ton épaule, tandis qu'elle se tourne pour voir à quelle distance se tient le soldat…

Choisis ton destin…

Si tu veux tenter de faire exploser une grenade qui risque de vous tuer tous les deux, rends-toi au 88.

Si tu penses que Ventress va battre en retraite sous les tirs de blaster, va au 15.

Si tu choisis de la plaquer au sol, dans l'espoir que le clone te sauvera à temps, passe au 83.

Si tu décides de tirer sur Ventress avec le blaster glissé dans ta ceinture, va au 120.

51

Tu as envie de suivre les soldats clones, mais Peder, alors ?

— Tu rigoles ? dit-il en te voyant hésiter. Il faut que tu suives ces gars pour savoir ce qui se passe, et tu me raconteras tout à ton retour !

— Bon, si t'insistes ! réponds-tu.

Tandis qu'un des militaires appelle un droïde médecin, un autre t'aide à déplacer Peder derrière un gros rocher.

— J'espère que le droïde médecin saura me retrouver ici !

Le soldat lui donne un sédatif de sa trousse de premiers secours et Peder s'endort.

Le temps que tu les rejoignes, les autres militaires ont dégagé les plantes grimpantes qui masquaient le turbo-ascenseur et ont ouvert les portes… Soudain, tu entends le bruit des STAP.

Ça ne va pas recommencer ! te dis-tu au pied du plateau, impossible de se cacher…

— File dans l'ascenseur ! Tu y seras plus en sécurité ! t'ordonne le chef du détachement, en te poussant dans la cabine.

OK, mais je monte ou je descends ?

Choisis ton destin…

Si tu décides de monter, passe au 30.

Si tu préfères descendre, va au 58.

— Je préfère mourir plutôt que de rejoindre le Côté Obscur de la Force ! hurles-tu en lançant une caisse métallique, qui rebondit sur le rancor sans le blesser.

— Ça risque de t'arriver ! s'écrie Ventress en projetant à son tour des caisses à la figure du monstre.

L'espace d'une seconde, la bête vacille, frotte sa grosse tête, et tu saisis ta chance. Tu traverses la salle en quatre enjambées, puis te jettes dans le passage, où le monstre a arraché la herse.

Tu entends des bruits de combat et entrevois un peu plus loin la lumière du jour. Sauf qu'elle provient d'une fenêtre… qui donne sur un à-pic de 200 m de haut !

ROOOOAAAARRRR !

Le rancor rugit et s'effondre à terre.

Ventress l'a vaincu… elle va s'en prendre à toi, maintenant !

Tu grimpes maladroitement sur le rebord de fenêtre et jettes un regard sur le vertigineux précipice. Derrière toi, le bruit des bottes de Ventress se rapproche. Tu te retournes et elle est là, plus diabolique que jamais !

— Tu ne peux t'enfuir nulle part, vermisseau ! Prépare-toi à MOURIR !

Elle s'élance vers toi, sabre laser dressé, prête à frapper, quand tout à coup une main te tire en arrière, et tu bascules dans le vide, de l'autre côté de la fenêtre.

— AAAAAH ! hurles-tu en voyant le sol s'approcher à vitesse grand V.

— Cesse de brailler, petit, dit Obi-Wan Kenobi, à bord d'un airspeeder. Grimpe à l'arrière !

Tu obtempères et, tandis que Kenobi manœuvre l'engin volant pour passer devant la fenêtre, tu vois Ventress agiter son sabre laser comme une furie.

— Merci pour la livraison en main propre, Ventress ! À la prochaine ! s'esclaffe Obi-Wan en lui faisant signe.

Et vous vous envolez tous les deux vers la liberté !

Les soldats voyous tirent sur le tableau de commandes du turbo-ascenseur, qui se met à grésiller et à crachoter. Ton ultime espoir s'envole en fumée…

— Doit-on rejoindre notre Maîtresse ? demande l'un d'eux.

Maîtresse ? Elle a dû créer ce peloton de clones renégats ! songes-tu amèrement, les larmes te picotant les yeux.

— Oui, une fois qu'on aura retrouvé l'autre. Celui qu'ils ont abandonné…, répond un autre militaire.

Tu sais que la programmation génétique a éliminé toute forme d'individualisme chez les soldats clones, mais tu n'aimes pas ce ton sinistre.

Tu retiens ton souffle et tends l'oreille… pendant qu'ils se lancent à ta recherche. Tu ne tardes pas à voir apparaître les bottes à coque blindée d'un soldat… *Ça y est, ils m'ont retrouvé !*

— Il est là ! crie-t-il à ses camarades, tandis qu'il se penche pour te faire sortir de ta cachette, en te tirant par la cheville.

Tu luttes comme un fou, avec l'impression d'avoir le pied coincé dans un étau ! Tu te tortilles dans tous les sens, et frappes le soldat de ton pied libre, mais en vain… Tu abandonnes au bout de quelques secondes.

Lorsque le clone te relâche, le chef du peloton t'ordonne de te relever, et ils t'encerclent.

— Par ici, bourdonne la voix du chef, en indiquant le tunnel sombre qui te mènera directement au monastère des B'omarr.

Inutile de résister. Ainsi commence ta longue marche vers ton destin.

_Va au 59._

Tu te penches lentement, sans quitter des yeux Janu Godalhi, et récupères le blaster. L'arme ne t'a jamais paru aussi lourde ! Tu la pointes sur Janu, qui sourit en hochant la tête.

— Tu dois le faire, jeune homme, dit-il avec douceur. J'ai passé le plus clair de mon existence à protéger les innocents en concevant des systèmes de sécurité de plus en plus complexes. Mais jusqu'ici, je n'ai jamais dû mettre ma vie en jeu pour sauver celle d'un autre... Et à présent, à la fin de mes jours, ça me réjouit de savoir que j'aurai pu le faire...

Tes mains sont saisies d'un tremblement incontrôlable et les larmes se mettent à couler sur ton visage.

— Asssssez parlé ! Qu'on en finisssse ! s'énerve Rohk de sa voix sifflante. Tue-le !

— Je n'ai pas peur, jeune homme, murmure Janu. Tu ne devrais pas non plus avoir peur...

Et, tout en plissant très fort les yeux, tu presses la détente...

Continue au 132.

Tu regardes Peder disparaître dans la jungle, quand, tout à coup, tu entends du vacarme derrière toi : des arbres qui se fracassent et un gros bruit sourd et cadencé.

— Ça ne me dit rien de bon, te murmures-tu, en réalisant que tu es pris entre une bataille rangée devant toi et un agresseur inconnu dans ton dos !

Sans prévenir, l'énorme silhouette d'un hexapode RT-TT se dresse, menaçante, au-dessus de la cime des arbres, à une centaine de mètres de toi, et fonce tout droit dans ta direction !

S'il y a des RT-TT, c'est que les soldats clones ne sont pas loin.

Caché derrière le buisson le plus proche, tu surveilles l'approche du RT-TT, mais tu vas devoir être vigilant… si tu ne veux pas être écrasé sous l'un de ses massifs pieds métalliques.

La terre tremble à chacun de ses pas et, depuis ta cachette, tu repères bientôt les soldats clones qui avancent derrière leurs imposants véhicules d'assaut.

Visiblement, les Séparatistes ont lancé une attaque et la République a l'intention d'y mettre un terme, te dis-tu. *Et moi, j'ai envie de leur prêter main forte.*

Tout d'abord, il te faut entrer en contact avec les soldats clones et leur proposer ton aide. Mais vont-ils l'accepter ou te considérer comme un jeune écervelé ? Tu ferais peut-être mieux d'agir à ta façon…

Choisis ton destin…

Si tu décides d'aider les soldats clones, rends-toi au 91.

Si tu préfères agir à ta manière, va au 99.

— Attends, glisses-tu à Peder. Je pense qu'on devrait se fier au Miraluka. Il essaie de nous aider à sa manière, et j'ai juste envie de filer et de trouver Janu. Qu'est-ce que t'en penses ?

Peder jette un œil sur le Miraluka, puis revient à toi.

— Si tu le dis..., répond-il, perplexe.

— Alors c'est décidé, dis-tu avant de porter ton regard sur les deux autres qui se chamaillent toujours.

— Bon... euh... écoutez... on cherche vraiment quelqu'un, commences-tu.

Deux paires d'yeux se braquent aussitôt sur toi... Tu as capté leur attention !

— Mais on a uniquement besoin de l'un de vous deux pour nous aider et... je... euh... suis désolé, mais c'est... c'est vous, précises-tu, un peu gêné, en t'adressant au Miraluka.

— Enchanté de pouvoir vous rendre service, les jeunes, déclare-t-il avec arrogance.

— Hmmpf ! Vous allez regretter cccette décccision, grogne le Trandoshan en se levant. Le Miraluka n'est pas digne de confianccce. Çççа va mal ssse terminer pour vous.

— Est-ce une menace ? demandes-tu au Trandoshan d'un ton irrité.

— Non, une promesssssse, rétorque-t-il, avant de s'en aller d'un pas lourd.

Qu'est-ce qu'il a bien pu vouloir dire…

— Permettez-moi de me présenter. Lippoo, pour vous servir, reprend le Miraluka en exécutant une révérence. À présent, passons aux choses sérieuses… Qui cherchons-nous au juste ?

— Janu Godalhi, réponds-tu, conquis par sa prévenance.

— Oh, c'est facile ! s'exclame Lippoo, confiant. Je sais où le trouver. Nous y allons de ce pas ?

Vous sortez tous les trois dans la rue et, pendant que Peder récupère la motojet, Lippoo t'explique qu'à cette heure du jour on peut en général trouver Godalhi à Nouvelle Bibliothèque de Raidos.

— Ça ne prendra pas beaucoup de temps, t'assure-t-il. Je connais un raccourci.

Vous marchez dans la grande artère animée, quand Lippoo vous indique une rue très étroite sur ta gauche… Ça ressemble plus à un passage.

— Par ici, dit-il. Vous n'avez rien à craindre… En journée, en tout cas.

La voie se révèle si étroite que vous devez l'emprunter en file indienne : toi en premier, ensuite Peder, et enfin Lippoo.

Soudain, tu entends un bruit sourd derrière toi. Tu fais volte-face... Peder est affalé par terre, coincé entre la motojet et le mur de la ruelle.

— Peder ! t'écries-tu, en te penchant au-dessus de lui. Qu'est-ce qui s'est passé ? demandes-tu à Lippoo.

— Il s'est passé ceci, répond-il d'un air innocent, en faisant sauter un sac de sable dans ses mains. Je l'ai assommé ! Il ira bien à son réveil.

— Quoi ? Mais pour...pourquoi ?

Terrifié, tu t'éloignes du Miraluka à reculons.

— Parce que je veux la motojet et l'argent que vous avez éventuellement sur vous, répond-il calmement. Oh... inutile de courir, cette ruelle est une impasse.

Tu ouvres la bouche pour pousser un cri, au moment même où le sac de sable s'écrase sur ta tête.

— Fais de beaux rêves, chantonne Lippoo.

Fin

— Qu'est-ce qui vous fait croire que je suis en mission ? demandes-tu pour gagner du temps.

Tu hésites à te joindre à un Trandoshan, qui n'a aucun scrupule à louer ses services à l'un ou l'autre camp. Si ça se trouve, c'est un chasseur de primes !

— Je ne vois pas quelle autre raison te pousssserait à risssquer ta vie sssous les bombes Ssséparatissstes !

Et, comme pour justifier ses propos, tu entends une nouvelle explosion à proximité.

— Sssi tu ne veux rien me dire, çççа te regarde, reprend Rohk. Mais il faut qu'on déguerpissssse !

Vous dénichez un grand escalier – tu n'as pas franchement envie de reprendre un turbo-ascenseur – et descendez de deux étages, jusqu'à ce que le bruit des combats soit un peu étouffé. Tu te demandes quand même ce que Rohk a voulu dire par « s'entraider ». Finalement, ta curiosité est plus forte que tout et tu lui poses la question.

— Ccc'est tout sssimple… Je cherche un truc caché dans ccce monassstère… et j'aurai peut-être besoin de quelqu'un pour m'aider, quand je le trouverai, explique Rohk d'un air mystérieux.

Malgré tout, cela t'intrigue encore plus.

— Qu'est-ce qui me garantit qu'après vous avoir aidé, vous n'allez pas me tuer ?

— Eh bien... rien..., répond-il dans un haussement d'épaules.

Tout à coup, il s'avance vers toi et t'attrape par le bras.

— Ne bouge plus ! t'ordonne-t-il, comme ses griffes acérées se plantent dans ta chair.

— Hé ! Lâchez-moi !

— Écoute bien ccce que je vais te dire, sssinon ton prochain gessste risssque d'être le dernier !

Continue au 106.

Au moment où les portes se ferment, tu aperçois un STAP qui surgit et ouvre le feu sur les soldats clones à découvert… et tu pries pour qu'ils puissent en réchapper, même si tu n'as guère d'espoir.

Tu presses le bouton pour descendre et l'ascenseur obéit. Tu ignores où tu vas et veux seulement fuir la scène atroce dont tu viens d'être le témoin.

Au bout d'un moment, la cabine s'arrête et les portes s'ouvrent sur un couloir désert…

Continue au 73.

Le trajet paraît interminable et tu te demandes si Janu Godalhi n'a pas prévu d'autres surprises... des pièges quelconques ou une tentative de sauvetage.

Mais une heure plus tard, lorsque tu te retrouves face à une série de turbo-ascenseurs qui mènent au monastère, tu as compris qu'il te faut uniquement compter sur toi-même pour t'extirper de cette horrible situation.

Les portes s'ouvrent et les soldats te poussent dans la cabine.

— Où m'emmenez-vous ? leur demandes-tu pour la énième fois, et comme toujours ils t'ignorent.

Tu commences sérieusement à paniquer ! Ils vont te livrer à leur « Maîtresse », sans doute quelqu'un qui sait reprogrammer des soldat clones, entraînés depuis leur naissance pour se montrer d'une loyauté farouche envers leurs Maîtres Républicains... Et tu n'imagines pas un instant qu'elle te laissera quitter le monastère des B'omarr en vie.

— OK, reprends-tu, angoissé. Dites-moi au moins pourquoi vous ne m'avez pas tué sur place ? Pourquoi vous m'emmenez au monastère ?

Toujours ce silence de mort en guise de réponse...

— Répondez-moi ! Je vous ordonne de me répondre ! vocifères-tu, en proie à une colère noire.

Les portes de la cabine s'ouvrent brusquement et tu sors dans une salle gigantesque et déserte. Loin au-dessus de toi, tu entends le bruit étouffé des tirs au laser et des explosions, mais dans ta rage à obtenir des informations, tu en oublies l'invasion Séparatiste.

— Quand je donne un ordre, j'espère être obéi ! Les sergents Kaminoans qui vous ont formés auraient honte de vous, s'ils vous voyaient en ce moment !

Tu vois un soldat incliner la tête, comme s'il t'entendait pour la première fois, et il devient aussitôt la cible privilégiée de ta colère.

— Oui, parfaitement. Ils auraient honte ! Êtes-vous si mal éduqués que votre nouvelle maîtresse a réussi à vous faire oublier le code Mandolorien de la politesse, de la loyauté et de l'obéissance envers tout ce qui est bon et juste ? enrages-tu d'une voix si tonitruante qu'elle résonne sur le sol et les murs nus.

Le soldat vacille légèrement, comme sous l'effet d'un uppercut dans le ventre, mais il semble toujours écouter, tandis que tu fouilles dans ta mémoire en quête de fragments d'histoire appris sur les genoux de ton père.

— C'est une insulte à la mémoire de Jango Fett !

D'un coin sombre de la salle, tu entends quelqu'un soupirer bruyamment.

— Ça suffit ! lance la voix impérieuse d'une grande femme enveloppée d'une cape gris terne, qui surgit de la pénombre. C'était courageux d'essayer de faire réagir ces... ces... esclaves robots, mais ils sont totalement en mon pouvoir.

— Votre pouvoir ? répètes-tu avec mépris. Et qui êtes-vous pour affirmer qu'il est possible d'effacer des années d'entraînement et de maîtrise du combat ?

— Je suis Ventress ! tonne la femme. Et ces drones m'appartiennent !

Passe au 125.

— Ça ne sera pas long, insistes-tu, énervé (même si tu n'es pas stupide au point de t'avancer vers elle). Je dispose d'informations capitales qui devraient intéresser la sénatrice !

— Vous dites tous la même chose, réplique le garde d'un ton las. Maintenant, si tu veux bien t'éloigner, petit...

— Mais c'est vraiment important ! lâches-tu, contrarié, en voyant Amidala s'approcher de son véhicule.

— C'est ce que vous dites tous ! répète le garde, excédé. Si tu ne files pas sur-le-champ, je te fais arrêter. Maintenant, va-t'en !

Je ne peux pas la laisser partir sans lui avoir parlé ! Quand est-ce qu'une si belle occasion se présentera ?

— Sénatrice ! hurles-tu en te ruant vers elle, mais les gardes du corps sont très bien entraînés et te sautent dessus en te passant les menottes.

Tu essaies de lutter, mais en vain... Et lorsqu'ils te remettent entre les mains des gardes sénatoriaux, tu regrettes d'avoir mis les pieds sur Coruscant !

Fin

61

Les Trandoshans sont réputés sans foi ni loi... Alors pourquoi faire confiance à quelqu'un qui, comme par hasard, surgit au beau milieu d'un bastion Séparatiste ? Ce serait de la folie !

Ta décision étant prise, tu t'empresses de te glisser dans la cabine. Un bref instant, tu as l'impression qu'elle ralentit, mais elle accélère brusquement et monte de plus en plus vite. La panique s'empare de toi... Et si tu t'étais trompé ? Et si tu avais plutôt tenté le coup avec le Trandoshan ?

Sur le tableau de commandes, tous les étages clignotent, et tu te mets à marteler comme un fou le bouton pour descendre, mais sans résultat. Soudain, une gerbe d'étincelles en jaillit et le panneau prend feu.

Tu regardes au travers de la trappe du plafond et constates que la cabine s'approche de plus en plus du sommet, sans pouvoir ralentir. Tu réalises que tu as pris la mauvaise décision... et qu'elle va te coûter la vie !

Fin

Tu cours vers la porte. Mais celle-ci résiste !

— Petit Tethien stupide ! ricane Ventress. Tu crois que j'allais te laisser une issue de secours ? Tu es si prévisible… Je me doutais bien que tu tenterais le coup.

Soudain, le rancor pousse un rugissement formidable et arrache la herse avec ses crocs, avant d'entrer dans la fosse.

— Et ça aussi, vous l'aviez prévu ? hurles-tu à Ventress.

Brandissant son sabre, Ventress bondit sur le rancor. Mais ses membres antérieurs sont si longs qu'elle ne peut s'approcher suffisamment pour lui asséner un coup.

Tandis que tu lances des caisses métalliques sur le monstre, Ventress bondit pour tenter de le surprendre, mais en vain… Le rancor est rusé par nature et pare la moindre de ses attaques, tout en veillant à s'interposer entre toi et le passage à présent libéré par la herse arrachée !

— Il n'existe qu'une seule manière de le vaincre ! te crie Ventress. Tu distrais la bête et je vais l'attaquer par derrière !

Choisis ton destin…

Si tu décides d'aider Ventress, va au 97.
Si tu préfères t'échapper, passe au 52.

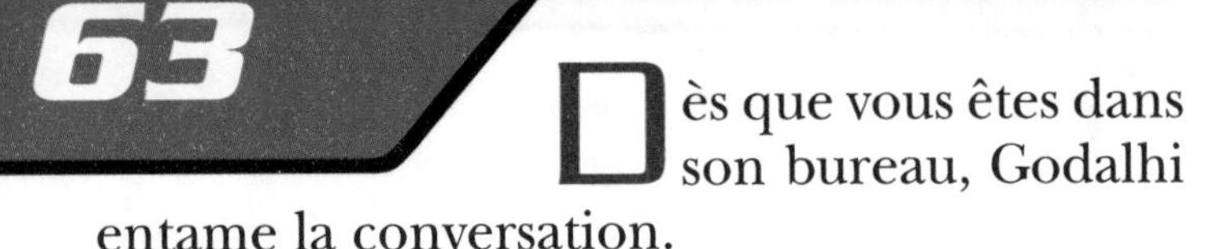

63

Dès que vous êtes dans son bureau, Godalhi entame la conversation.

— Comme je te le disais, je m'appelle Janu Godalhi et j'ai conçu des systèmes de sécurité à la fois pour le Gouvernement et des entreprises privées. Je l'ai fait pendant des années. Pas seulement ici sur Teth, mais aussi sur Coruscant, et… disons… des tas d'autres planètes, déclare-t-il, les yeux pétillant de fierté. Mais je me fais vieux à présent et suis revenu à mes premières amours : l'Histoire. Je travaille ici… aux Archives de la Nouvelle Bibliothèque de Raidos.

— Mais… comment avez-vous su que je venais ? lui redemandes-tu.

— J'ignorais que ce serait toi en particulier, mais je possède des supra-capteurs dissimulés tout le long de ce couloir qui chemine d'ici au monastère, alors j'ai pu suivre ta venue à la trace. Ensuite, j'ai simplement programmé le turbo-ascenseur pour qu'il transporte toute personne ne disposant pas du passe de sécurité nécessaire à cet étage. Et te voilà ! s'exclame Godalhi. Maintenant, je veux savoir ce que tu fabriquais au monastère. Tu es un peu trop jeune pour être un contrebandier…

— Un contrebandier ? répètes-tu, stupéfait.

Bien sûr que ne je n'en suis pas un ! Mon ami Peder et moi, on se baladait dans la jungle ce matin et on a vu atterrir une flotte de vaisseaux de combat Républicains, puis attaquer des troupes Séparatistes qui ont pris le contrôle du monastère et…

— Des Séparatistes ? Tu en es sûr ?

— Ouais… Même que je les ai vus quand je suis monté au monastère !

— Excuse-moi… Poursuis, je t'en prie.

— Eh bien, c'est tout. Je suis allé au monastère, me suis retrouvé dans un turbo-ascenseur défectueux qui m'a balancé dans un passage secret et… vous connaissez la suite, dis-tu dans un haussement d'épaules.

— Des Séparatistes… ? marmonne Godalhi en se tapotant le menton d'un air pensif. J'ai entendu dire que les Séparatistes prévoyaient de construire quelque chose… un type de super-arme capable de détruire des planètes entières. Peut-être que le monastère des B'omarr leur sert de base d'opérations…

— Mais c'est de la folie. Aucune arme n'est capable de détruire une planète ! répliques-tu, en te demandant si Godalhi n'est pas devenu paranoïaque, après avoir travaillé tant d'années dans le domaine de la sécurité.

— Oh si, c'est tout à fait possible. Et s'ils

planifient un projet de cette ampleur, une planète rarement visitée comme Teth pourrait fort bien leur servir de cachette idéale, pendant qu'ils préparent en secret la chute de la République. Je pense que toi et moi devons aller en toucher deux mots à un de mes… euh… associés… qui évolue dans… euh… certains cercles criminels.

Mais es-tu prêt à t'acoquiner avec des voleurs et des chasseurs de primes… et un homme dont tu viens de faire la connaissance ?

Choisis ton destin…

Si tu décides de lui accorder ta confiance, va au 10.

Si tu préfères décliner son offre, rends-toi au 26.

Tu cours vers la porte, car c'est ta seule chance ! Mais au moment où tu l'atteins, Ventress te barre le passage.

— Trop lent, petit, se moque-t-elle avec un sourire en coin. Ton ami est mort. Que ça te serve de leçon… Si tu t'avises de doubler les Séparatistes, tu seras puni !

Elle balaye la pièce du regard, puis revient sur toi.

— En fait, pourquoi ne pas te laisser là pour y réfléchir un petit moment ? suggère-t-elle d'une voix douceâtre. On peut très bien venir te délivrer d'ici peu… ou pas du tout.

Sans un mot de plus, les portes se referment en coulissant et te voilà soudain seul. La salle du trésor est devenue ton tombeau.

65

Un doute terrible s'empare de toi : aller à Raidos et demander de l'aide à Janu Godalhi était une grave erreur. Mais tu essaies de ne rien laisser paraître. Après tout, Godalhi peut sans doute deviner tes pensées, simplement en te regardant, comme il lit les milliers d'holocrons que renferme la Bibliothèque.

Vous franchissez la porte et Godalhi vous annonce qu'il doit se rendre dans son bureau pour récupérer le passe qui ouvre la porte du tunnel secret.

— Elle est toujours verrouillée, afin d'éviter les intrus en provenance de… l'extérieur, disons, précise-t-il, le visage radieux. Venez, je n'en ai pas pour longtemps.

Tu traînes un peu, en espérant que Peder va deviner que tu lui demandes de ralentir pour pouvoir lui parler en privé… D'ailleurs, lui-même agite les mains et roule des yeux pour te faire comprendre qu'il ressent la même chose que toi.

— Qu'est-ce que tu proposes ? murmure-t-il.

Tu hausses les épaules, impuissant, tout en essayant d'élaborer un plan qui vous permettra de partir sans vexer le vieil homme.

Cinq minutes plus tard, vous voilà dans

le bureau sévère de Godalhi. Pendant qu'il farfouille dans un coffre-fort, Peder et toi décidez en silence et d'un commun accord qu'il est temps de vous excuser et de prendre congé.

Soudain, Godalhi fait volte-face, blaster au poing.

— Désolé, jeunes gens, dit-il en braquant son arme sur toi. Mais je crains d'avoir changé d'avis... Tout compte fait, je ne vais pas pouvoir aider les Jedi !

Sous le choc, Peder et toi reculez.

— Non, s'il vous plaît, n'essayez pas de fuir. Je vous tirerai dessus, si j'y suis obligé, prévient-il en faisant les cent pas dans son bureau, le blaster toujours pointé sur ta poitrine. Cependant, je n'en ai pas envie. Je ne suis pas un assassin, mais simplement un homme qui a perdu ses illusions, à cause de la guerre et de la politique. Mon but, jeunes gens, consiste à vous éviter d'être mêlés à une affaire qui vous dépasse. Le bien et le mal correspondent parfois aux deux facettes d'un même problème, et j'aurais préféré ne pas le savoir quand j'avais votre âge.

— Qu... qu'allez-vous faire de nous ? demandes-tu, la voix chevrotante et les jambes tremblantes.

— Eh bien... je pensais vous garder ici en otages et demander une rançon, répond Godalhi, une lueur de folie dans les yeux. J'ai emprunté de l'argent à ton père, vois-tu, ajoute-t-il en se tournant vers Peder. Mais je suis sûr qu'il va effacer ma dette et même m'octroyer un bonus, si je lui rends son fils sain et sauf.

Ton ami blêmit, tandis qu'il s'apprête à parler.

— Je vous en prie, laissez-nous partir, implore Peder d'une voix rauque. On ne dira rien à personne. C'est promis !

— Oh, tu ne me feras pas changer d'avis, continue Godalhi en l'ignorant. Je dois juste trouver un moyen de convaincre ton père.

Il te regarde alors d'un air pensif.

— Si je lui envoyais quelque chose de ton ami, ça l'aiderait sans doute à prendre sa décision. Une mèche de cheveux, peut-être ? Tu préfèrerais qu'elle soit rattachée à la tête ou pas ?...

Fin

Mais en regardant Kenobi disparaître, ton assurance s'évanouit.

Qu'est-ce qui me prend ? J'ose douter de la valeur d'un Jedi !

Tu lui cours après et, au détour du couloir, heurtes de plein fouet Obi-Wan Kenobi qui t'attend.

— Bravo ! te félicite-t-il. Il faut du courage pour admettre ses torts. Nous ferons de toi un Jedi.

Un JEDI ?

L'exploration des pièces et des couloirs du monastère des B'omarr n'est pas une mince affaire… Au bout de deux ou trois heures, tu en as assez, même si tu te réjouis d'avoir réussi à éviter la confrontation avec d'autres droïdes Séparatistes.

— Ça va durer une éternité, remarques-tu.

— Patience, dit Kenobi. L'impétuosité ne mène souvent à rien… contrairement à la réflexion sereine.

Il ferme les yeux et, grâce à la Force, parvient à deviner quel chemin emprunter…

— Par ici !

Tu le suis, docile, quand il s'arrête net devant une porte, semblable aux soixante-dix autres que vous avez déjà vérifiées.

— C'est là, déclare-t-il, catégorique. Dans cette pièce.

Obi-Wan Kenobi cherche à tâtons un interstice sur la porte, qui pourrait permettre de l'ouvir.

— Ce système de sécurité est bien plus sophistiqué que tous les autres installés dans le château. Ce qui nous confirme que nous sommes au bon endroit.

— Vous pouvez nous faire entrer, Maître Kenobi ? Ça risque d'être difficile…

— Ha ! J'aime les défis !

Il tombe à genoux et se met à toucher la porte par en-dessous. Pendant qu'il cherche un moyen d'entrer dans cette pièce, tu erres dans les couloirs… Au-dehors, la bataille fait rage alors qu'à l'intérieur, bizarrement, tout est calme.

Tu es sur le point de revenir vers Kenobi, quand tu entends des portes qui s'ouvrent.

C'était quoi ? Ou qui ?... t'affoles-tu.

Tu avances à pas de loup puis te penches à l'angle d'un couloir… Ventress et ses gardes du corps droïdes ! *Je dois prévenir Maître Kenobi sur-le-champ !*

Il surgit justement au détour d'un corridor et marche vers toi à grandes enjambées.

— Dans l'autre sens, petit ! te crie-t-il. Je

viens d'amorcer le détonateur sur la porte. Ça va exploser d'un instant à... Qu'y a-t-il ?

Tu n'as pas le temps de répondre que les droïdes passent déjà à l'attaque.

— Ventress ! t'égosilles-tu en courant dans le couloir. Ventress est avec eux !

— Du calme, t'ordonne Kenobi d'une voix rassurante. Va te mettre à l'abri et sers-toi de ton blaster. Ne panique pas... Ventress utilisera ta faiblesse pour te détruire !

Tu passes devant lui, tandis qu'il détourne les tirs des droïdes à l'aide de son sabre. Puis tu bifurques à l'angle du couloir qu'il vient d'emprunter et sors ton blaster, prêt à riposter.

Malgré le vacarme de la bataille, tu perçois un léger tic-tac...

Devant la porte de la pièce, tu découvres les charges explosives posées par Kenobi... et le minuteur qui compte à rebours : 10... 9... 8... 7...

Choisis ton destin...

Si tu décides de rejoindre Obi-Wan Kenobi et d'en découdre avec les assassins surentraînés de l'Armée Séparatiste, va au 135.

Si tu penses avoir le temps de filer à l'autre bout du couloir, rends-toi au 31.

— Vous avez raison, Maître Kenobi, dis-tu en te retournant vers lui. On doit stopper le mouvement Séparatiste, sinon chaque planète va connaître des événements comme ceux qu'on a vécus aujourd'hui. Je veux vous aider à détruire les Séparatistes... Je vous accompagne.

Kenobi te regarde et hoche la tête.

— Bien, jeune homme, dit-il en adoptant soudain un ton très professionnel. La mission d'un Jedi ne se limite pas aux duels au sabre laser et à la destruction de châteaux ! Nous devons nous mettre au travail.

L'engin atterrit et tu aides les soldats clones à charger leurs camarades dans le vaisseau, tout en cherchant Peder... Mais il reste introuvable.

Il n'a pas dû arriver jusqu'ici, songes-tu, en scrutant la jungle du haut des remparts. *Avec un peu de chance, il se trouve quelque part en bas, à l'abri... sans doute en train de me chercher !*

Une fois le vaisseau rempli, tu grimpes à bord et regardes Teth diminuer à vue d'œil par les hublots pour finir par disparaître, quand l'engin traverse une épaisse couche de nuages.

Quelques instants plus tard, votre vaisseau

les survole et tu discernes l'énorme croiseur Jedi *Esprit de la République.*

— Waouh ! t'exclames-tu pour le plus grand amusement des soldats clones qui t'entourent.

— Impressionnant, pas vrai ? te dit l'un d'eux en riant.

— Vraiment incroyable... approuves-tu en regardant votre vaisseau s'amarrer au croiseur.

Sitôt que le vaisseau abaisse sa rampe de débarquement, une escouade de droïdes médecins monte à bord pour s'occuper des blessés.

— Viens avec moi, petit, déclare Obi-Wan en surgissant soudain à tes côtés. Nous devons discuter de ton avenir.

Tout en marchant, tu l'écoutes te décrire ce qui t'attend si tu décides d'opter pour la voie des Jedi.

— Ce sera le choix le plus difficile de ton existence, dit-il d'un ton sérieux. Il ne faut donc pas prendre cette décision à la légère. On exigera de toi beaucoup d'entraînement et de sacrifices.

Tu dois avoir l'air effrayé, car il s'empresse d'ajouter en souriant :

— Mais tu n'as pas à prendre ta décision tout de suite ! Je parle, je parle... alors que tu dois être fatigué. Je vais t'accompagner aux salles de repos.

Il t'escorte jusqu'à ton module de couchage et, au moment de t'endormir, ses paroles résonnent encore dans ta tête :

— Tu peux aider la République de mille et une manières, petit. Devenir un Jedi n'est qu'une possibilité parmi d'autres.

Dans tes rêves, tu revis les horreurs du monastère et, à ton réveil, ta décision est prise. Tu sais quel chemin tu dois prendre…

Choisis ton destin…

Si tu décides de suivre la voie des Jedi, passe au 123.

Si tu préfères servir la République à ta manière, rends-toi au 21.

— Et vous pensez que Jabba le Hutt pourrait financer cette super-arme ? questionnes-tu.

— Le monastère des B'omarr a souvent servi de base à Jabba. Certains le surnomment même le Château du Hutt, et mes espions m'ont parlé de grosses livraisons effectuées là-bas récemment. Je n'y voyais rien de louche jusqu'ici, parce que ça ne m'a jamais traversé l'esprit que les Séparatistes puissent être impliqués.

Quar Rohk se trémousse sur son siège. À l'évidence, la simple allusion au Hutt le met mal à l'aise. À moins qu'il en sache plus au sujet des livraisons clandestines ?

— Mais pour l'heure, reprend Godalhi, je pense que ça vaut la peine d'aller faire un tour au monastère, pour voir par nous-mêmes de quoi il retourne.

— Et comment proposes-tu d'y entrer à l'insssu des Ssséparatissstes ou des Républicains ? demande Rohk, sceptique.

— Laisse-moi m'en charger, répond Godalhi d'un air espiègle. Nous y allons ?

Continue au 131.

— Vous devez m'aider ! brailles-tu, en lorgnant le compacteur, en espérant qu'il tombe en panne d'un instant à l'autre. Je vois bien que ces droïdes ouvriers vous respectent… Vous êtes un peu leur Dieu !

Deux autres droïdes ont rejoint leurs collègues et tentent en vain de te balancer dans la benne. D'ici quelques secondes, tu seras écrabouillé !

— Leur Dieu ! Tu n'y vas pas de main morte, dis donc. Tu le crois vraiment ? s'enthousiasme M-2XR. Ma foi, je peux sans doute essayer de les convaincre de te…

KA-TCHUNK ! KA-TCHUNK ! KA-TCHUNK !

— … lâcher… Oups… trop tard !

Armé de son blaster, le garde du corps n'a pas l'air de quelqu'un que tu pourras raisonner… Les yeux rivés au canon de son arme, tu te mets à hurler à pleins poumons.

— Sénatrice Amidala ! Je suis venu vous dire que les Séparatistes prévoient la construction d'une super-arme de la taille d'une lune ! J'arrive de ma planète natale Teth, où j'ai aidé le Maître Obi-Wan Kenobi, qui est aussi au courant du projet !

La sénatrice lance un regard par-dessus son épaule et s'arrête net.

— Laissez approcher ce jeune homme, capitaine ! ordonne-t-elle, impérieuse.

Et le garde du corps baisse son arme, tout en te glissant :

— Je t'ai à l'œil…

Tu t'avances vers elle et remarques que, sous ses manières autoritaires, quelque chose semble la préoccuper.

— Tu as des nouvelles de Maître Kenobi ? Ou peut-être d'Anakin Skywalker ? demande-t-elle d'un ton visiblement inquiet.

— Je sais que Maître Kenobi a quitté Teth et qu'il est en route pour retrouver Maître Skywalker, réponds-tu avec respect. Mais c'est de l'arme de destruction massive des Séparatistes, dont je souhaite vous parler.

Tu la vois se détendre.

— Bien sûr. Monte avec moi et tu me raconteras tout ce que tu sais en chemin, jusqu'à mon prochain rendez-vous, dit-elle en entrant dans le vaisseau, bientôt suivie par les gardes du corps et toi.

Continue au 96.

Ma tête… Qu'est-ce qui vient de se passer ?…

Tu reviens à toi : tu es étendu par terre dans une grande salle avec des colonnes. Tu te relèves lentement. Tu jettes un regard à la ronde.

Peut-être que je me suis évanoui ? Mais dans ce cas, on a dû me déplacer, parce que je ne me trouvais pas dans cette salle tout à l'heure…

Tu vérifies les portes, mais elles sont toutes verrouillées.

— J'ai dû tomber dans les pommes… faire une espèce de voyage astral, puis quelqu'un m'a emmené ici, dis-tu en te grattant le crâne.

Mais même après l'avoir prononcé à voix haute, ça te paraît toujours aussi absurde !

— Ça n'a rien d'étrange, déclare une voix.

Un homme surgit de derrière une des colonnes.

— Qui êtes-vous ? demandes-tu en reculant.

Même si tu n'as jamais été sensible à la Force, tu perçois toute la puissance maléfique dégagée par le personnage qui s'avance.

— Je suis le Comte Dooku !

Le Comte Dooku ! Il ne me laissera jamais la vie sauve… mais pas question de baisser les bras ! Je me suis retrouvé dans des tas de situations périlleuses aujourd'hui et… jusqu'ici, je m'en suis tiré !

— Oui, tu es encore en vie, et c'est précisément pour cette raison que je t'ai amené ici, explique-t-il, en venant auprès de toi.

La Force ! Il l'utilise pour lire dans mes pensées !

— C'est vous qui m'avez amené ici ? Pourquoi ?

— Asajj Ventress a décelé en toi des talents cachés, répond-il, songeur. Tu possèdes un taux de midi-chlorelles élevé et un vrai potentiel. Jusqu'ici, ton courage et ton intelligence t'ont bien servi. Mais auras-tu le courage et l'intelligence de discerner toute la sagesse de la proposition que je m'apprête à te faire… ?

— C'est-à-dire ? lances-tu d'un air de défi.

— Rejoins-moi et commence ton entraînement en qualité de Sith ! Tu en as les capacités… Seule la discipline te manque.

— Et si je refuse ? ripostes-tu en luttant pour garder l'esprit vide et éviter que Dooku ne perçoive tes pensées et tes incertitudes.

— Eh bien, je m'empare de ton cerveau et de ton cœur, afin de créer la prochaine génération de cyborgs, dont tu seras le modèle !

Choisis ton destin…

Si tu décides de rejoindre l'Ordre des Sith, rends-toi au 112.

Si tu préfères encore servir de modèle à de futurs cyborgs, va au 35.

— Debout ! Mains en l'air ! ordonne le soldat clone.

Tu te redresses lentement et lèves les mains au-dessus de ta tête, imité par Peder.

— On est des Tethiens…, protestes-tu.

Mais le soldat n'écoute pas. Il appelle déjà son officier supérieur sur son comlink.

— Capitaine, je viens de trouver deux jeunes Tethiens dans la jungle, aux abords du plateau…

Le comlink grésille et une voix répond :

— Bien reçu, soldat… Escortez-les jusqu'au vaisseau de combat R4-14 pour les interroger.

— Par ici, dit le militaire en agitant son blaster pour vous indiquer le chemin.

CRAAAC ! Un STAP de combat Séparatiste explose et s'écrase à 20 m de vous.

Indemne, le droïde de combat se relève, blaster au poing, prêt à tirer.

— Viens, sauvons-nous d'ici ! te crie Peder en bondissant hors de la ligne de mire du droïde, juste au moment où le soldat clone t'ordonne : « Couche-toi ! »

Choisis ton destin…

Si tu décides de suivre Peder, va au 124.
Si tu préfères suivre les ordres du soldat clone, rends-toi au 86.

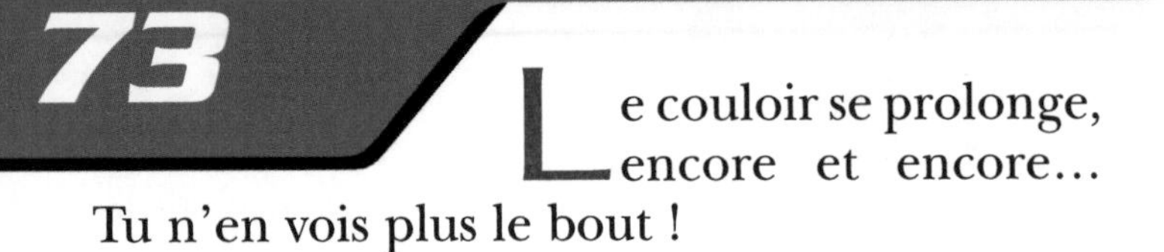

Le couloir se prolonge, encore et encore... Tu n'en vois plus le bout !

Tu poursuis ton chemin, tout en gardant un œil sur les systèmes de sécurité qui peuvent alerter quelqu'un de ta présence. Au bout d'une heure, tu parviens à une série de turbo-ascenseurs, identiques à ceux du monastère. Tu entres prudemment dans une cabine, en t'assurant qu'elle est en bon état de marche.

De nouveau, les portes se ferment et tu n'as pas le temps de te repérer que te voilà déjà propulsé vers le haut, sans savoir où l'ascenseur t'emmène !

Décidément, c'est pas mon jour ! songes-tu, comme les portes s'ouvrent. Devant toi apparaît un vieil homme qui sourit jusqu'aux oreilles.

— Tu a pris ton temps, déclare-t-il en te serrant la main pour te souhaiter la bienvenue.

— Qui êtes-vous ? Et où suis-je ? lâches-tu, éberlué. Comment saviez-vous que j'allais venir ? Je n'ai pas vu le moindre droïde espion et aucune caméra.

— Tsst ! Cette technologie appartient à l'Ancienne République ! rétorque le vieillard d'un air dédaigneux. J'invente de nouveaux systèmes de sécurité, je ne recycle pas les anciens !

Il marque une pause, puis ajoute :

— Au fait, je suis Janu Godalhi, et à présent, plus un mot. Allons discuter comme il convient dans un endroit tranquille, et tu devras me dire ce qui se passe au monastère des B'omarr !

Tu dévisages d'un air méfiant cet homme qui te semble trop poli pour être honnête.

— C'est là d'où tu viens, n'est-ce pas ? demande Godalhi en t'éloignant des ascenseurs pour t'entraîner vivement dans le couloir.

Va au 63.

74

Il faut que je me débrouille pour récupérer ces infos ! Avant que l'ordinateur explose et permette au concepteur de cette arme épouvantable d'échapper à la justice !

Tu files vers la motojet et déniches des outils dans un compartiment, sous le siège. Tu en prends un, que tu glisses sous la plaque du tableau de commandes pour la soulever.

Si seulement je pouvais stopper cette image qui passe en boucle…

Mais ce sera ta dernière pensée, car au même moment ton corps reçoit une décharge fulgurante de 15 millions de cri'ans.

C*'est vraiment à moi qu'il s'adresse* ? te demandes-tu en le regardant à nouveau tandis qu'il pointe le pouce vers toi.

Il hoche la tête et, d'un geste, t'invite encore à le rejoindre.

— Je t'ai vu assis là-bas, dit-il en riant, tandis que tu t'installes dans un fauteuil à ses côtés. Au fait, moi c'est Pwi'lin. Tu n'as pas l'air dans ton élément !

— C'est le moins qu'on puisse dire ! approuves-tu en te présentant à ton tour.

Vous ne tardez pas à bavarder comme de vieux amis (quoique ni lui ni toi ne précisez ce qui vous amène à Raidos !) quand le comlink de Pwi'lin vous interrompt.

— Errruka ? dit-il en répondant dans sa propre langue. Rindath con fa'alen deasant ? OK, poodarn. C'était mon lieutenant, précise-t-il. Il a terminé les réparations sur mon vaisseau, alors je dois le rejoindre au spatioport. On a eu du mal à se procurer certaines pièces pour le *Rindoon Dart*... C'est mon vaisseau, un croiseur Prensile Sandonian 4XA... À croire que les revendeurs de Teth n'ont que du stock pour les vieux rafiots qu'ils ont l'habitude de fournir en matériel.

— Un Prensile Sandonian 4XA... le vaisseau le plus rapide de la galaxie ! t'exclames-tu, époustouflé.

— Tu en as entendu parler ? s'étonne Pwi'lin.

— On vit peut-être sur une planète de seconde zone, dis-tu en souriant à belles dents, mais on se tient quand même au courant de ce qui se passe ailleurs.

— Ma foi, si ça te chante de m'accompagner jusqu'au spatioport, tu pourras le voir. Même si je n'aurai pas le temps de te faire faire le tour du propriétaire.

— Vraiment ? Super ! Faut quand même que je prévienne mon compagnon.

— Bien sûr, dit Pwi'lin, impatient de te montrer son vaisseau.

Peder te demande évidemment de ne pas t'absenter trop longtemps, en disant : « Pas question de t'attendre une éternité ! »

Pwi'lin et toi quittez ensuite la cantina.

Passe au 141.

J*e l'ai échappé belle !* songes-tu. J'allais me faire écrabouiller par un géant velu !

— Tu es un héros, pour sûr ! affirme un Bith jovial en te tapotant le dos.

— Rares sont ceux qui oseraient se mesurer à un Wookie, renchérit quelqu'un d'autre.

Bientôt tout le monde te félicite !

— Franchement, il n'y a pas de quoi en faire un plat. N'importe qui aurait agi comme moi, déclares-tu modestement.

— Tu te trompes, jeune homme, dit une voix calme. J'ai assisté à la scène et tu as fait preuve d'un grand courage.

Maître Glynn-Beti !

— Je… euh… merci, Maître, bredouilles-tu, un peu gêné.

— À présent que tu as conquis tous ces braves gens par ta bravoure, ajoute-t-elle, tu pourrais peut-être aider les Jedi en les escortant jusqu'aux vaisseaux.

Moi ? Aider les Jedi ?

Les tirs Séparatistes font trembler le hall d'embarquement.

— Et ne tarde pas, ajoute-t-elle. Tu as du pain sur la planche !

Fin

Tu observes la scène, impuissant. Tu ferais n'importe quoi pour aider Kenobi à vaincre Ventress !

Mon blaster !

Tu sors ton arme et tires sur Ventress, qui détourne les lasers à l'aide de son sabre. D'une roulade, Obi-Wan en profite pour récupérer le sien.

— Encore un de tes petits animaux bien dressés, ricane-t-elle, en désignant ta cachette.

Usant de la Force pour s'élancer d'une colonne, Kenobi réactive son sabre laser et, d'une culbute, atterrit au pied de Ventress, en voulant la frapper à l'épaule.

— Non, mais cette diversion est la bienvenue ! glousse-t-il.

Elle pare le coup et saute par la fenêtre !

— Si tu veux jouer à ce jeu-là…, marmonne Kenobi en bondissant sur le rebord.

Puis, il se retourne vers toi en criant :

— À plus tard, petit !

Et il saute à son tour par la fenêtre.

Dans le silence soudain de la salle vide, tu

entends la cavalcade des droïdes qui descendent l'escalier… Ils viennent à cet étage !

Choisis ton destin…

Si tu décides de suivre Kenobi et Ventress, passe au 92.
Si tu préfères devancer l'attaque des droïdes, rends-toi au 15.

— *Il vaut mieux que je reste dans ce vaisseau de combat,* te dis-tu calmement, en essayant de tromper la peur. *Il est forcément doté d'un bouclier défensif, non ?*

À l'extérieur, tu entends le rugissement des STAP dans les airs et les tirs de défense des soldats clones qui vont se réfugier dans la clairière.

Une énorme explosion ébranle le vaisseau… Tu perds l'équilibre et glisses sous le bureau où était assis le capitaine quelques minutes plus tôt.

CRRRRIIIICK ! L'écran en transparacier se déforme puis explose en mille morceaux. Heureusement que tu es à l'abri !

— Secteur 6574-A, ils approchent ! entends-tu Plo Koon beugler.

— Le Tethien est ici ! hurle quelqu'un au-dehors.

L'idée t'effleure soudain que c'est la dernière phrase que tu entendras…

N*on, en effet, je n'en ai pas envie !* songes-tu, énervé, en refusant de suivre Obi-Wan qui disparaît au détour d'un couloir. *Même si c'est précisément ce que vous attendez de moi, pas vrai ? Après tout, je me suis débrouillé tout seul jusqu'ici…*

Tu pars dans la direction opposée en tapant du pied, le visage rouge de colère, mais tu sais que tu a pris la bonne décision.

Il faudrait une éternité pour sillonner ce dédale de corridors. Ils se ressemblent tous. J'ai l'impression de tourner en rond !

À l'angle d'un autre couloir, tout en prenant soin de noter par quel chemin tu es venu, tu découvres Ventress qui se dirige dans ta direction.

— Tiens, l'ombre miniature de Kenobi ! ricane-t-elle en s'approchant.

— Je vous croyais partie ! dis-tu d'une voix tremblante, avant de filer vers une porte ouverte, dans l'espoir de lui échapper.

— Il essaie de fuir, comme c'est mignon ! minaude-t-elle, en usant de la Force pour refermer la porte au moment où tu vas la franchir. Non, je ne suis partie nulle part !

Elle se tient maintenant à quelques centimètres de toi.

— Je perçois ta peur, jeune homme, se moque-t-elle en te fixant du regard. Laisse-moi te venger de Kenobi…

— Je ne vous aiderai jamais ! protestes-tu d'une voix haut perchée, en luttant pour te détourner de son regard.

Mais c'est impossible ! Ses yeux te consument.

— Oh… mais si… bien sûr que si… murmure-t-elle.

— Si vous ne leur criez pas sur-le-champ que c'est une erreur de traduction et qu'en fait je ne les ai jamais traités de « voyous galactiques », hurles-tu, le visage en sueur, je contacte vos fabricants, Cybot Galactica, et je leur dis que vous avez refusé de m'aider !

— Mais si tu fais ça, ils vont rappeler toute ma ligne de production et ordonner notre destruction, réplique M-2XR d'une voix plaintive.

— EXACT ! ALORS DITES À VOS COPAINS DE ME LÂCHER !

M-2XR se met aussitôt à biper les droïdes ouvriers, qui te laissent tomber par terre, pantelant.

KA-TCHUNK ! KA-TCHUNK ! KA-TCHUNK !

— Voilà, c'était pas si compliqué, hein ? marmonne M-2XR. Inutile d'alerter Cybot Galactica. Tout est rentré dans l'ordre… Oh, le petit s'est évanoui. Je crois que tu as eu ta dose d'aventure pour aujourd'hui !

Fin

Tu as trouvé de l'aide ! C'est le Maître Jedi Obi-Wan Kenobi qui, grâce à son sabre laser, détourne le tir du droïdeka qui le pourchasse.

— Fais-moi de la place, petit ! s'écrie Kenobi, en montant sur la motojet. Ils sont trop nombreux. Tu dois nous faire sortir d'ici !

Tandis que vous prenez de la vitesse dans les couloirs, le droïdeka toujours à vos trousses, vous apercevez une série de turbo-ascenseurs.

— Arrête-toi près des boutons ! braille Kenobi. Je vais appeler un ascenseur, puis on file dans le couloir et on fait demi-tour. Entre-temps, les portes de la cabine se seront ouvertes et on pourra les semer.

Tu hoches la tête et, d'un coup de guidon, te rapproches du tableau de commandes, afin de permettre à Obi-Wan de mettre son plan en œuvre.

Tu tournes à gauche, puis encore à gauche, et vous voilà de retour aux ascenseurs, mais trop tard… les portes de la cabine se referment !

— C'est trop étroit, on ne passera jamais ! grimaces-tu en plissant les yeux.

Continue au 29.

Tandis que d'autres STAP se mettent à bombarder le site, tu te tournes vers le capitaine :

— Je connais un passage secret pour y entrer ! Je peux vous le montrer.

Il acquiesce et, après avoir hurlé ses ordres à ses hommes, te fait signe de le suivre. Vous traversez la base à découvert pour aller vous abriter sous les arbres. Tu le talonnes de près.

— Où allons-nous, petit ?

— Par ici, à droite, juste à la base du plateau, lui indiques-tu.

Vous avez parcouru près d'un kilomètre sous les feuillages, quand tu aperçois quelqu'un un peu plus loin, étendu dans les feuilles mortes.

Tu t'en approches en courant et reconnais aussitôt Peder !

— Peder, tu vas bien ? t'écries-tu, suivi de près par le capitaine.

Le soldat s'agenouille et tente d'évaluer les signes vitaux de ton ami.

— Il va bien, il a seulement perdu connaissance. Cette chute de pierres semble récente, déclare-t-il en observant les éboulis qui jonchent la petite clairière. Il a dû recevoir un coup sur la tête. Il va s'en remettre, mais on devrait le faire ausculter par un droïde médecin. Je le ramène à la base et reviens tout de suite.

— Mais les STAP ? t'écries-tu, affolé.

— Laisse-moi m'en charger, répond le capitaine en soulevant Peder sans effort, avant de disparaître de l'autre côté de la falaise.

Au loin, tu entends les STAP qui continuent de bombarder la base et maintenant que tu te retrouves seul, la peur te saisit et tu te mets à trembler de manière incontrôlable.

Tout en t'obligeant à rester calme, tu tentes de t'occuper en cherchant le turbo-ascenseur secret. D'épaisses plantes grimpantes recouvrent ce versant de la falaise, mais Peder et toi avez l'habitude de jouer dans le coin et tu ne tardes pas à trouver ton bonheur. Une fois que tu as ôté les lianes, tu es surpris et soulagé de constater que l'ascenseur est en état de fonctionner.

Peder a dû venir là. Si seulement je l'avais suivi...

Mais ce n'est pas le moment de te faire des reproches, car tu entends soudain un bruit de pas dans le sous-bois... Au détour de la falaise, tu vois surgir un énorme droïde de combat !

Il ne m'a pas encore vu... songes-tu en reculant lentement, jusqu'à ce que tu aies le dos plaqué aux portes du turbo-ascenseur. Tu tends le bras et parviens à les ouvrir, puis entres à reculons dans la cabine.

À cause du bruit, le droïde a deviné ta présence... Il tire avec son blaster, mais heureusement le coup ricoche sur les portes au moment de leur fermeture !

Tu te mets aussitôt à descendre et constates que le tableau de commandes est détérioré. Toutefois, l'ascenseur s'arrête aussi mystérieusement qu'il a démarré. Les portes s'ouvrent et te voilà dans un long et sombre couloir...

Continue au 73.

83

Par-dessus l'épaule de Ventress, tu vois cinq ou six soldats clones qui accourent vers toi et le soulagement t'envahit. Mais tu n'es pas au bout de tes peines !

Comme l'équipe venue à ta rescousse détourne l'attention de Ventress, tu en profites pour lui flanquer un violent coup de coude dans les côtes. Heureusement, tu ne perds pas l'équilibre et, même si tu ne l'as pas non plus renversée, c'est suffisant pour qu'elle te lâche.

À présent que la chance te sourit, il faut la saisir ! Tu traverses la cour en trombe et parviens à l'entrée du monastère en une poignée de secondes, en dérapant sur le sol en pierre. Il fait sombre à l'intérieur et, tout en prenant soin d'éviter la lumière qui s'insinue par la porte ouverte, tu laisses le temps à tes yeux de s'habituer à la pénombre.

Super ! Elle ne m'a pas suivi ! Mes sauveteurs doivent lui donner du fil à retordre.

Tu t'apprêtes à rejoindre une porte sur ta droite, quand tu entends le bruit menaçant d'une troupe qui avance en rangs serrés. *Hop !* Tu te faufiles derrière une colonne, juste au moment où un escadron de droïdes de combat franchit la porte.

Sans doute ses droïdes, songes-tu, et en entrevoyant leurs yeux rouges sans âme, tu te félicites de l'avoir croisée toute seule dans la cour. Une fois qu'ils ont disparu, tu fonces vers la porte par laquelle ils viennent de sortir et percutes de plein fouet un droïde destroyer !

Passe au 13.

84

Qu'est-ce que je m'ennuie..., songes-tu en regardant autour de toi avec envie les autres clients qui profitent de tout ce que la cantina peut offrir, des jeux de société à la danse.

Brusquement, un négociant étrange croise ton regard et te décoche un sourire chaleureux en levant sa coupe.

Tu lui rends son sourire d'un air distrait et continues de scruter le bazar alentour !

Il y a tant de créatures dans cet établissement ! *Est-ce un Staglint ?* te demandes-tu en observant un être à la peau bleue et doté de vingt bras, qui danse avec une jolie femelle Bothane.

Du coin de l'œil, tu aperçois à nouveau le négociant qui lève sa coupe et te fait signe de venir te joindre à lui.

Est-ce que je connais ce gars ?

Rends-toi au 75.

Tu sais que Godalhi a sans doute raison et sa mise en garde te fait hésiter… Tu t'arrêtes et tentes d'interpeller la créature blessée.

— Ohé ?

Pas de réponse.

— Hé ! Vous allez bien ?

Toujours pas de réaction, mais un bruit de pas se rapproche…

— Reviens ! Quelqu'un arrive ! te crie Peder d'une voix plaintive.

Tu hésites, tiraillé entre l'envie d'aider la créature et de rejoindre ton ami.

— Dépêche-toi ! insiste Peder.

Qu'est-ce que je vais faire ? J'ai besoin de l'aide de Godalhi ! S'il possède une trousse de premiers secours, je peux soigner la créature, pendant qu'il retient… celui qui arrive !

— OK, OK, j'arrive !

Tu rejoins Peder et Godalhi. Ils semblent soulagés.

— Maintenant, entrez dans cette pièce ! ordonne Godalhi. Vous devez vous cacher tous les deux ! Nous ignorons ce qui se prépare dans le couloir, mais devons nous tenir prêts !

Passe au 107.

Pris entre les tirs croisés d'un droïde de combat et d'un soldat clone, on n'a pas besoin de te le dire deux fois ! Tu te jettes aussitôt à terre !

POW-POW-POW !

Tu n'es pas encore à plat ventre que tu entends déjà le droïde se fracasser sur les restes démantibulés de son STAP... et l'instant d'après le soldat t'aide à te relever et te demande si tu n'as rien de cassé.

— Euh... j'imagine que non, hésites-tu.

Puis tu regardes à la ronde et te souviens tout à coup de Peder.

— Où est mon copain ?

— Il est parti se réfugier dans les buissons. Il va bien. Tu pourras le retrouver plus tard, mais pour l'heure tu viens avec moi. Et n'essaie même pas de te sauver, OK ?

Tu acquiesces et le soldat clone rengaine son blaster, puis ouvre la marche en regagnant son poste de commande.

Passe au 42.

Tu restes figé sur place, incapable de te décider… alors que tu entends Rohk rire à tue-tête et faire du boucan dans la pièce.

Soudain le bruit cesse. Il passe la tête dans le couloir :

— Ne crains rien ! J'ai désactivé le sssystème de sssécurité.

Voyant ton hésitation, le Trandoshan s'esclaffe de plus belle.

— Ta vigilanccce t'honore, dit-il. Mais sssois sssans crainte !

Tu fais quelques pas et te voilà à l'entrée de la pièce. À l'intérieur, tu constates qu'elle est remplie de caisses métalliques du sol au plafond !

Quar Rohk sort un blaster de sa cape et tire sur la première. Le coup ricoche sur le métal et aux quatre coins de la pièce ! Vous tombez tous deux à plat ventre et, par chance, vous n'êtes pas blessés.

— Qu'est-ce qui vous prend ? lui cries-tu, toujours à terre.

La peau verte du Trandoshan s'assombrit légèrement… sans doute sa manière à lui de rougir de honte.

— Désolé, petit, bredouille-t-il, gêné.

J'aurais dû me douter que ccces caissssses n'étaient pas faccciles à fracturer.

Il pose le blaster sur une caisse et se met à fouiller dans sa cape, dont il sort cette fois toute une série d'outils bizarres que tu n'as jamais vus de ta vie.

Tu l'observes, tandis qu'il se met à l'œuvre... et tente d'ouvrir une caisse.

— Vous êtes un voleur ? hasardes-tu, car tu ne veux pas vexer quelqu'un qui t'a déjà sauvé la vie à deux reprises.

— Entre autres...

Tu perçois un son et Rohk pousse un grognement satisfait.

— Ccc'est tout sssimple, déclare-t-il en soulevant le couvercle de la caisse.

— Trop sssimple ! siffle une voix féminine.

— Ventresss ! s'étrangle Rohk en lâchant le couvercle sous le choc.

Passe au 110.

Cette diversion te laisse le temps de sortir une grenade thermique de ta tunique, juste au moment où Ventress se retourne vers toi.

— Tes amis sont assez naïfs pour penser pouvoir te sauver, jeune homme, déclare-t-elle en resserrant son emprise sur ton épaule. Mais comme dit le proverbe : *Un Tethien vaut mieux que deux tu l'auras !*

— Je ne crois pas, Ventress, rétorques-tu, rageur, en brandissant l'explosif sous son nez.

L'espace d'un bref instant, ses yeux s'écarquillent de frayeur, mais elle recouvre aussitôt son sang-froid.

— Alors que je me réservais le plaisir de te tuer de mes propres mains, je constate que tu as tout prévu !

Elle t'oblige à faire volte-face pour te placer entre elle et les soldats, tout en gardant un œil sur le minuteur.

5... 4... 3...

Soudain, Ventress utilise la Force et te projette au beau milieu des soldats clones qui observaient la scène à distance !

2... 1... *BOUUUM !*

Fin

Je ne pourrai pas la vaincre !

Tu recules de quelques pas, à mesure que Ventress s'approche… Puis tu tournes les talons et t'enfuis à toutes jambes dans le couloir.

Soudain, tes pieds ne touchent plus terre et tu t'élèves lentement dans les airs.

— Pauvre imbécile ! raille Ventress. Tu pensais sérieusement pouvoir m'échapper.

Usant de la Force, elle te ramène peu à peu vers elle, tel un pêcheur qui vient de ferrer un poisson.

Tu sais que ton heure est venue…

Tandis que tu avances dans la jungle en direction du plateau, tu te demandes où Peder a bien pu passer. Le plus drôle, alors que tu n'as cessé de le mettre en garde, c'est que tu finis par te retrouver, toi, au cœur de l'action !

Enfin... c'est pas si drôle, songes-tu en essuyant ton visage en sang.

Tu perçois un bourdonnement insistant et découvres, en levant le nez, un nouvel escadron de chasseurs STAP qui survole les feuillages et se dirige tout droit vers la base des soldats clones que tu viens de fuir.

Que la Force soit avec vous, Plo Koon ! lui souhaites-tu, dans l'espoir qu'il s'en sorte vivant.

Tu n'es plus qu'à une centaine de mètres du plateau, lorsque tu reconnais le craquement métallique d'un RT-TT qui fait une halte un peu plus loin. Tu vas te cacher dans d'épais buissons pour observer la suite.

Il ne reste qu'une poignée de soldats clones dans la clairière, les autres ayant déjà escaladé le versant escarpé du plateau pour donner l'assaut au monastère des B'omarr.

Tu es alors frappé par le silence !

Les militaires ont dû liquider les canons lasers des Séparatistes ! J'ai hâte de monter là-haut les aider ! Sauf qu'il faut d'abord y monter...

Les soldats possèdent des câbles ascensionnels pour gravir la paroi verticale et, même recouverte de lianes, elle se révèle trop dangereuse pour un alpiniste novice.

Je pourrais tenter de m'accrocher à ce mégalithe de métal, imagines-tu, en lorgnant le RT-TT d'un air pensif. *Mais il me faut d'abord un déguisement…*

Dans un coin paisible de la clairière, tu repères un droïde médecin en train de soigner un soldat. Il lui a retiré son casque pour le poser sur un gros rocher et lui passe à présent les membres au scanner, afin d'évaluer la gravité de ses blessures.

Ah, voilà ce qu'il me faut… Le tout, c'est de foncer sur le rocher, piquer le casque, puis de s'en aller tranquillement comme si de rien n'était. Comme après avoir pris des crudets à un Ewok.

Tu passes ensuite à l'action et tout semble se dérouler à merveille… jusqu'à ce que tu entendes quelqu'un hurler dans ton dos ! Tu n'es même pas sûr que c'est à toi qu'on s'en prend et, plutôt que de te retourner, tu enfonces le casque sur ta tête et marches d'un bon pas en direction du RT-TT.

— Hé, toi !

Tu entends courir, mais ne t'arrêtes pas pour autant.

Au moment où tu atteins la jambe la plus proche du RT-TT, celui-ci va entamer la longue ascension jusqu'au sommet du plateau. Tu te jettes sur le pied du colosse et t'y cramponnes de toutes tes forces !

Passe au 126.

91

Tu n'as aucune chance de te débrouiller seul ! Tu regardes les soldats approcher et te demandes comment attirer leur attention... Les clones sont prêts à attaquer et, si tu surgis de derrière le buisson, c'est le meilleur moyen pour te faire exploser la cervelle !

Mais lorsque le pied colossal d'un RT-TT fait trembler le sol à côté de ta cachette, tu te redresses d'un bond en poussant un cri de surprise. Les soldats te repèrent aussitôt et tu lèves les mains au-dessus de ta tête en hurlant :

— Je suis un Tethien ! Ne tirez pas !

Tu contemples, épouvanté, les multiples blasters braqués sur toi. L'un des clones active son comlink.

— On a trouvé un Tethien, chef, dit le clone. Quels sont les ordres ?

Il n'y a plus un bruit et tu sens ta mort approcher... Puis la réponse parvient au soldat :

— Amenez-le pour un interrogatoire. Terminé.

— Bien reçu, capitaine, dit le soldat. Par ici, dit-il, en pointant son blaster dans la direction d'où ils sont venus.

Passe au 42.

Tu te précipites vers la fenêtre et découvres Obi-Wan et Ventress qui livrent toujours bataille sur les remparts, en contrebas !

Soudain, d'un mouvement rapide, Kenobi parvient à faire tomber le sabre laser de la main droite de Ventress, et celui-ci est projeté par-dessus la balustrade.

— Maudit Jedi ! vocifère-t-elle.

Au même moment, un chasseur droïde vautour descend en piqué sur les remparts. Elle se jette dessus et disparaît dans les airs.

— Attends-moi, petit, j'arrive ! te crie Obi-Wan, en activant son comlink tandis qu'il pénètre à nouveau dans le monastère.

Tu te précipites vers l'entrée de la salle et aperçois des droïdes de combat dans le couloir qui font le tour des pièces, en quête de soldats clones.

Je ne peux pas rester là et attendre d'être débusqué, mais Obi-Wan monte me rejoindre… Je dois le retrouver à mi-chemin.

Tu attends que la plupart des droïdes soient entrés dans une salle située plus loin, pour te glisser dans le hall et partir dans la direction opposée… Tu tombes alors sur des turboascenseurs.

Les portes d'une cabine s'ouvrent et Kenobi apparaît, l'air surpris.

— Tu me cherchais ? demande-t-il, prêt à sortir sur le palier.

En entendant sa voix, les droïdes ouvrent le feu !

— Mince ! s'exclame-t-il en t'attrapant par le bras pour te faire entrer dans la cabine.

Vous attendez qu'elle se ferme, mais en vain.

— Les portes sont coincées ! hurles-tu.

— Tu bloques peut-être le détecteur de mouvement.

Mais alors que tu recules, un droïde de combat surgit. Un autre le rejoint, puis un troisième…

Continue au 121.

Tu atterris comme une masse sur le sol en terre battue, avant de te redresser d'un bond pour affronter ton ennemi... Mais il n'y a aucun rancor en vue !

Encore une manipulation diabolique de cette maudite Ventress ?

À mi-hauteur sur ta droite, tu aperçois une énorme herse, derrière laquelle tu entends déjà renifler et grogner l'horrible monstre.

Ce n'est pas un tour de Ventress ! Le rancor a dû être effrayé par le vacarme des caisses qui dégringolaient... mais d'un instant à l'autre, la bête va revenir voir ce qui se passe !

À ta gauche, il y a une porte en bois avec une petite grille en métal. Tu t'y précipites et découvres le visage de Ventress qui t'espionne entre les barreaux.

— C'est moi qui ai peur de toi ? murmure-t-elle d'un air menaçant.

Si seulement je pouvais la forcer à ouvrir cette porte, songes-tu en souriant intérieurement.

— Vous le savez bien ! lui répliques-tu en criant la première idée qui te traverse l'esprit. Sinon pourquoi me lancer un défi impossible ?

— Tu vas payer pour ton insolence ! vocifère Ventress en tirant le verrou de la porte, tandis que tu bats en retraite au milieu de ta prison !

Soudain, tu perçois un rugissement gigantesque derrière toi et le rancor surgit en tendant ses énormes pattes, tandis que ses griffes acérées s'en prennent à la herse semi-ouverte !

— Cette herse tiendra jusqu'à ce que j'en aie fini avec toi, petit ! crache Ventress qui pénètre dans la pièce et active son sabre laser. Ensuite, mort ou agonisant, tu constitueras un mets de choix pour la bête !

Passe au 62.

— Ça m'est impossible, murmures-tu en remuant avec peine sur le sol en terre battue.

— Dans ce cas, je ne peux rien pour toi, jeune homme, déclare Ventress en t'aidant à adopter une position plus confortable. Mais je peux t'arracher à cette tanière et te déposer quelque part, où les soldats clones pourront peut-être te trouver à temps…

Elle te soulève sans effort et te sort de la salle, puis vous traversez toute une série de couloirs, avant de sortir à l'air libre sur les remparts du monastère. Une fois qu'elle t'a laissé à un endroit bien en vue, elle te quitte sans un mot.

Dans le ciel, tu vois les chasseurs Jedi qui combattent les machines de guerre Séparatistes… Mais, quoi qu'il puisse arriver, tu sais que tu as eu raison de refuser de rejoindre le Côté Obscur de la Force.

95

— Pas question ! rétorques-tu, agacé. C'est pas juste comme échange. Si vous savez où trouver Janu Godalhi, dites-le-nous !

Les sentinelles Barabels rient aux éclats et tu vois s'envoler tout espoir d'obtenir des informations ou l'autorisation d'entrer dans la ville, maintenant que tu as refusé leur petit chantage.

Le visage rouge de colère, Peder et toi enfourchez vos motojets et rebroussez chemin, sous les moqueries des Barabels.

— Rentrez chez vous, cccette cccité n'est pas un endroit pour les gamins !

Pendant le trajet, tu racontes à la Sénatrice Amidala tout ce qui t'es arrivé depuis la veille, et les gardes du corps tendent l'oreille, visiblement captivés par ton récit.

Tu termines en précisant que tu l'as vue prendre la parole dans la Grande Chambre de Convocation (sans, bien sûr, parler du garde qui t'as permis de t'y faufiler) et que tu as tout de suite su qu'elle pourrait utiliser avec sagesse l'information que tu détenais.

— Que d'aventures, dis donc ! observe Amidala en te souriant. Et merci de venir me communiquer cette information de la plus haute importance. Pour ne rien te cacher, je m'apprête à retrouver quelqu'un qui la jugera fort intéressante, j'en suis certaine…

Le véhicule s'arrête sur une voie aérienne et tu découvres le Maître Jedi Mace Windu, qui attend l'arrivée de la sénatrice.

— Vous avez rendez-vous avec Maître Windu ? demandes-tu, tout excité.

— Eh bien oui. Ça te plairait de le rencontrer ? dit-elle en riant. Avant que mes gardes du corps ne t'escortent jusqu'à ton vaisseau ?

— Certainement, sénatrice, réponds-tu d'un air désinvolte, comme si tu avais l'habitude de fréquenter des Jedi.

La Sénatrice Amidala n'est pas dupe et rit de bon cœur. Mais lorsque les portes du vaisseau s'ouvrent en coulissant, elle annonce avec fierté :

— Maître Windu, permettez-moi de vous présenter l'un des jeunes hommes les plus courageux que j'ai le plaisir de connaître !

L'idée de servir d'appât ne te plaît pas vraiment, mais le rancor bloque encore la sortie, ta seule chance de fuir.

— OK ! cries-tu à Ventress. Mais si votre plan réussit, vous devez me laisser partir !

Elle acquiesce et continue de fendre l'air de son sabre, en direction de la bête.

— Je vais ranger mon arme ! prévient-elle. Je veux que tu grimpes sur ces caisses et attires l'attention du rancor, puis je me glisserai derrière lui pour le frapper sur son point faible entre les deux plaques cuirassées de son cou !

— Entendu ! lâches-tu en escaladant les caisses métalliques.

Ventress désactive son sabre et tu agites les bras.

— Par ici, espèce de grosse bête malodorante ! hurles-tu. Viens te battre, le monstre !

Le rancor, troublé par le recul inattendu de Ventress, s'élance vers toi !

Ventress bondit sur son dos, grâce à la Force, et réactive son sabre, mais trop tard… les pinces de la bête cinglent l'air et te saisissent à la taille pour t'attirer vers sa gueule !

Tu hurles. Le monstre s'apprête à te dévorer… Quand, brusquement, il pousse un cri perçant, vacille et s'écroule sous le coup mortel de Ventress.

On a réussi ! Le rancor est mort !

Toujours prisonnier des pinces de la bête, tu gis à terre, respirant avec peine. Tu entends Ventress désactiver son sabre et sauter du rancor. L'instant d'après, elle t'arrache à ses griffes.

— Tu as fait preuve d'un grand courage, jeune homme, te félicite-t-elle d'une voix teintée de respect. Mais tu es gravement blessé… J'ignore combien de temps il te reste…

— Je vais mourir ? demandes-tu d'une voix étouffée.

— Les pinces du rancor ont transpercé ta chair. Je ne peux rien faire pour te sauver. Seul mon Maître, le Comte Dooku, est en mesure de t'aider à présent…

— Le Comte Dooku… ?

— Il maîtrise à merveille les pouvoirs du Côté Obscur et peut peut-être te sauver la vie. Le choix t'appartient, jeune homme.

Choisis ton destin…

Si tu décides de rejoindre le Côté Obscur pour être sauvé, rends-toi au 140.

Si tu préfères encore mourir plutôt que de trahir les Jedi, va au 94.

À plat ventre, face contre terre, impossible de voir qui c'est, mais en tout cas ce n'est pas un vigile !

— Ne bouge pas, murmure la voix. Il y a un droïde de sécurité qui arrive.

— Êtes-vous Raan Calrissian, monsieur ?

— Oui, répond la voix. J'espère que vous venez m'annoncer que vous avez fini de mettre mon vaisseau en pièces !

— En effet, monsieur. Vous pouvez décoller à la Porte 134.

— Ce vaisseau a intérêt d'être dans le même état que je l'ai laissé ! grogne Calrissian d'un ton acerbe.

Tu entends le gémissement électronique du droïde qui s'éloigne et Raan Calrissian s'accroupit derrière les caisses pour inspecter tes bracelets de sécurité.

— Doucement…, marmonne-t-il.

Puis il te les retire et te voilà libre !

— Merci.

Tu te frictionnes les bras pour faire circuler le sang.

— À ton service, dit Calrissian d'un ton désinvolte. T'es drôlement courageux, petit. Et t'as de la chance que je sois le seul à t'avoir vu sortir de ce véhicule.

Il t'aide à te relever et bizarrement (tant mieux !) ne te bombarde pas de questions pour savoir comment tu t'es retrouvé pieds et poings liés !

— Faut que je file, déclare Calrissian, en te regardant de haut en bas pour voir si tu n'as rien de cassé. Sois prudent maintenant. Et tiens-toi à l'écart des énergumènes sans scrupules. Comme ce détachement de Jedi que j'ai vu traîner dans le coin, avant que tu passes nous dire un petit bonjour ! HA !

Il ricane encore dans sa barbe en tournant les talons pour rejoindre son vaisseau.

Comme tu n'as rien de mieux à faire, tu te promènes sur la zone de chargement et trouves une plate-forme panoramique. Le nez collé à la vitre en transparacier, tu contemples les niveaux supérieurs de la ville qui s'élève largement au-dessus de toi.

C'est si beau ! songes-tu en observant le ballet constant des vaisseaux qui atterrissent et décollent des nombreux spatioports de la Cité des Nuages. *Pas étonnant qu'il y ait tant de visiteurs !*

Tu vois alors un croiseur Séparatiste disparaître subitement sous les épais nuages qui ont donné son nom à la ville... et tu regardes, horrifié, le vaisseau déverser ses chasseurs qui se placent ensuite en formation de combat !

La Cité des Nuages est attaquée !

Oh non ! Ça ne va pas recommencer, penses-tu en sentant la panique te gagner. *Qu'est-ce que je vais faire ?*

Choisis ton destin...

Si tu décides de trouver Raan Calrissian pour lui demander de t'emmener dans son vaisseau, rends-toi au 41.

Si tu préfères trouver les Jedi, dont Calrissian t'a parlé, et solliciter leur aide, va au 100.

Si tu décides de te cacher et de liquider un maximum de parasites Séparatistes avant de te faire repérer, passe au 12.

Soit tu agis comme tu l'entends, sois tu ne fais rien ! Tu sais par expérience que tes aînés sont du genre à te tapoter sur la tête d'un air condescendant et à ignorer tes propos.

Le RT-TT se trouve à une vingtaine de mètres de toi et se rapproche, tandis que les soldats clones se tiennent si près que tu entends leurs comlinks grésiller sous les ordres.

Il faut que tu décides tout de suite ce que tu vas faire, avant qu'ils tombent sur toi par hasard…

CRAAAC !

Les événements ont décidé à ta place ! En se frayant un chemin dans la jungle, le RT-TT a brisé une énorme branche de l'arbre qui surplombe les buissons où tu te caches et celle-ci dégringole avec fracas. Tu entends le bruit effrayant et lèves les yeux juste à temps pour bondir hors de ta cachette, au moment où la branche s'écrase au sol en aplatissant les buissons sous son poids.

Mais te voilà maintenant étendu sur le dos, pétrifié de peur, sous le gigantesque pied métallique qui est à deux doigts de s'abaisser sur toi et de te détruire en un clin d'œil !

— Attention ! s'écrie un soldat clone en t'arrachant à ta torpeur.

D'une roulade, tu évites le monstre d'acier qui écrase le sol à quelques centimètres de toi.

Toujours à terre, les yeux fermés, tu tentes de reprendre ton souffle et réalises que les militaires t'auront rejoint dans la seconde et que ton grand projet de faire cavalier seul tombe à l'eau.

— Debout ! aboie un soldat.

Tu ouvres les yeux et constates que tu es cerné par des soldats clones, leurs blasters braqués sur toi.

Tu te redresses lentement en position assise, en leur laissant tout le temps de voir que tu n'es pas armé, et tu lances un regard à la ronde en évaluant les choix qui s'offrent à toi.

Derrière toi, le RT-TT que tu viens d'éviter avance inexorablement dans la jungle, mais tu entends les autres qui le suivent et en aperçois déjà un qui vient vers toi… *Il sera là d'ici une minute*, te dis-tu, tandis qu'un plan d'évasion commence vaguement à se former dans ta tête…

— Debout, je t'ai dit ! répète le soldat.

Cette fois, ses camarades baissent leurs armes et se replient pour que tu puisses te redresser tant bien que mal.

— Je suis un jeune Tethien, déclares-tu d'une petite voix plaintive, en regrettant de ne pouvoir verser quelques larmes pour mieux coller à ton personnage. Je ne suis pas armé.

Le RT-TT pénètre dans la clairière et les soldats clones s'écartent de son chemin. C'est le moment que tu attendais !

Tu te jettes sur le pied du monstre de métal et t'y cramponnes fermement.

Celui-ci te soulève dans les airs et t'éloigne des clones.

Passe au 11.

Raan Calrissian affirme avoir vu des Jedi ! Ils vont m'aider !

Tu repars en courant, mais ne tardes pas à rencontrer un problème : des centaines de gens ont vu les vaisseaux Séparatistes débarquer et se dirigent en masse vers les spatioports pour fuir l'attaque. Épaule contre épaule, la file d'attente avance à peine… Tu ne trouveras jamais les Jedi.

Tu aperçois une petite fille Brindale qui trébuche et tombe, bousculée par les voyageurs, impatients de passer devant les droïdes de sécurité, qui se servent de leurs armes pour contrôler comme ils peuvent la situation.

La jeune Brindale est toujours à terre ! Si tu n'agis pas tout de suite, elle sera piétinée dans la cohue.

— Hé ! cries-tu à la cantonade. Faites attention ! Une enfant Brindale est tombée, aidez-la à se relever !

Mais les gens font la sourde oreille et, sous tes yeux horrifiés, une nouvelle vague de voyageurs avance.

Sans réfléchir, tu te jettes dans la masse et te frayes un chemin entre les bras, jambes, queues, et tentacules, pour atteindre l'endroit où la petite Brindale a chuté.

— Hé ! Regarde où tu mets les pieds ! s'exclame quelqu'un en te repoussant à l'arrière.

Tu manques de dégringoler, quand un énorme Wookie t'en empêche malgré lui en se retournant pour te rugir en pleine figure.

— ARRÊTEZ DE POUSSER ! braille quelqu'un d'autre, tandis que la foule oscille d'avant en arrière.

Tu recommences à paniquer. Il te faut rejoindre la petite Brindale avant qu'il ne soit trop tard, mais impossible de doubler le Wookie qui te bloque le passage !

Désemparé, tu ne sais plus quoi faire quand tu remarques soudain la coiffure de ta voisine, dans la file d'attente… En un clin d'œil, tu saisis l'un de ses peignes et l'enfonces du côté des dents dans l'arrière-train du Wookie !

— *ROOOOAAAAAAR !*

Comme il fait volte-face pour t'attraper, tu t'abaisses et te faufiles entre ses jambes. Il virevolte pour se retrouver dans le sens de la marche et tente de t'agripper par le cou avec sa grosse main velue… Tout le monde s'écarte sur son passage ! Tu profites de la brèche ainsi formée pour te précipiter vers la petite Brindale en pleurs, et tu la relèves juste au moment où le Wookie t'empoigne !

— ATTENDEEEEZ ! hurles-tu, tout en sachant qu'il va te mettre K.O.

Bizarrement, le silence envahit la foule. Même la fillette Brindale cesse de sangloter !

— Désolé de vous avoir piqué avec ce peigne, t'excuses-tu. Mais je devais passer devant vous pour sauver cette petite. Sinon elle risquait de se faire piétiner.

— *WWWWRAAAAAROOOOO !* réplique le Wookie en te lâchant.

Tu entends soudain des voix fuser parmi les voyageurs.

— Les Jedi sont là ! Les Jedi sont là ! Nous sommes sauvés !

Continue au 76.

Depuis quand les conduits de ventilation sont inclinés à ce point? te demandes-tu, alors que tu continues de glisser. *À moins qu'il s'agisse d'un vide-ordures ! J'espère qu'ils ne jettent pas leurs déchets dans le vide !*

Heureusement, quand ta descente s'achève enfin, tu n'es pas propulsé dans l'espace... Tu atterris lourdement sur un tapis roulant étroit qui traverse un puits apparemment sans fond !

Entouré de morceaux de droïdes en miettes, tu restes allongé, immobile, en luttant avec peine contre l'envie de regarder par-dessus bord dans la fosse béante au-dessous.

Tu distingues une rangée de droïdes ouvriers qui trient les pièces charriées par le tapis.

Un site de retraitement des droïdes ! Oh, il y a pire, te dis-tu, en t'efforçant d'oublier le précipice à ta droite et à ta gauche. *Si je parviens à attirer leur attention, je leur demanderai d'interrompre le tapis roulant...*

À mesure que tu t'approches, tu constates que les droïdes ouvriers jettent les pièces refusées dans une énorme benne qui se trouve derrière eux. Toutes les 30 secondes, un gigantesque compacteur de métal presse les morceaux de ferraille et les réduit à la taille de ta paume. Tu hurles en tentant de couvrir le vacarme de l'engin pour capter l'attention des ouvriers.

— Ohé ! Là, regardez !... sur le tapis roulant ! Hé ! J'ai besoin d'aide !... Pourriez-vous…

KA-TCHUNK ! KA-TCHUNK !

— … arrêter le tapis roulant ?

En te voyant, ils se mettent à parler dans leur langue, mais aucun n'appuie sur l'interrupteur.

KA-TCHUNK ! KA-TCHUNK !

— POUVEZ… VOUS… COUPER… CE… TRUC ?

Ça ne sert à rien. Ces droïdes sont de simples ouvriers, non programmés pour comprendre le Basic.

— Je risque de dégringoler de ce truc ou de recevoir ces débris volants en pleine figure ! leur cries-tu en évitant un torse droïde, qui jaillit à l'instant d'une goulotte pour atterrir sur le tapis roulant.

KA-TCHUNK ! KA-TCHUNK !

À ta grande surprise, le torse métallique se redresse et sa tête pivote pour te regarder droit dans les yeux.

— Sache que je ne suis pas un débris volant, se défend-il, tandis que ses photorécepteurs s'allument d'un air indigné. Je suis un droïde protocolaire M-2XR et toi, un grossier personnage !

Continue au 23.

— Certes, Chancelier, réplique-t-elle d'une voix posée, alors que son visage semble prêt à exploser. Nous devons toujours user de diplomatie lorsqu'il s'agit de traiter avec d'autres mondes du Noyau pour nous assurer de…

— Oui, oui, Sénatrice, l'interrompt le Chancelier d'un air condescendant. Nous avons déjà évoqué la question. Nous connaissons votre méfiance à l'égard du processus sénatorial Rutanien, et je ne pense pas qu'il soit nécessaire d'y revenir.

La sénatrice incline la tête, impassible, et retourne à sa place sur sa plate-forme à répulseurs, tandis qu'un autre sénateur s'avance pour prendre la parole.

En observant Amidala, tu comprends qu'elle a soulevé le problème des Séparatistes de nombreuses fois auparavant et, comme elle n'a rien de nouveau à proposer au Sénat, Palpatine la considère ni plus ni moins comme une enquiquineuse.

Si seulement je pouvais lui dire que les Séparatistes envisagent de construire une super-arme…

— On ferait mieux de s'en aller, te dit le garde, nerveux, et tu le suis à l'extérieur.

Une fois dehors, tu lui demandes où se trouve le bureau de la sénatrice et il te rit au nez.

— As-tu vu tous ces gardes sénatoriaux disséminés dans le Grand Hall qui entoure la Chambre suprême ?

Tu hoches la tête.

— Eh bien, s'ils patrouillent, c'est pour t'empêcher d'approcher les sénateurs !

Tu le remercies pour la visite et quittes l'immense bâtisse, avant de t'y engouffrer à nouveau, sitôt qu'il a le dos tourné.

Je dois voir la Sénatrice de toute urgence...

Continue au 118.

En nage, épuisé, et pas franchement rassuré, tu arrives enfin à destination… où t'attend le comité d'accueil robotisé.

— Je suis TC-70, déclare la droïde protocolaire dorée en s'inclinant. Bienvenue au Palais de Jabba le Hutt. Suivez-moi, je vous prie.

Elle ouvre la marche et tu lui emboîtes le pas dans la fraîcheur des couloirs du Palais. Après quelques tours et détours, tu arrives dans la grande salle d'audience.

Au milieu de la pièce, juché sur son estrade, trône le grotesque Hutt, entouré de ses subalternes ! Le plus célèbre et le plus impitoyable seigneur du crime de la galaxie !

Un murmure parcourt la salle à ton entrée. D'un signe, Jabba ordonne aux musiciens de cesser de jouer, et tous les yeux se tournent vers toi.

— Ahh, sleemo paadunko maka ? questionne Jabba.

Tu ne connais pas le langage Hutt, mais TC-70 s'empresse de traduire :

— Son éminence Jabba le Hutt souhaiterait connaître la raison de votre venue à Tatooine.

— Veuillez dire au grand Jabba que je suis simplement en visite, car c'est la première fois que je viens sur cette planète et je n'y connais personne.

— Zenhoo bala wowga peepu ? demande Jabba, le regard soupçonneux.

— L'omnipotent Jabba souhaiterait savoir pourquoi vous êtes venu à bord d'un vaisseau Credaan… que vous n'avez pu acquérir qu'auprès de l'Armée de la République, dit TC-70.

— Veuillez signaler au tout-puissant Jabba que j'ai emprunté le vaisseau au Maître Obi-Wan Kenobi, à qui j'ai prêté main-forte dans sa lutte contre les Séparatistes sur ma planète natale de Teth, expliques-tu, en te demandant quels détails tu peux divulguer au sujet de la bataille.

— AHAHAAAAAHHH ! s'esclaffe Jabba, bientôt imité par ses courtisans serviles. Zeeda pookee mufia paalana !

— Le magnifique Jabba déclare qu'il doute qu'un jeune homme comme vous puisse se montrer d'une quelconque utilité envers un grand Jedi comme Kenobi, traduit TC-70.

Tu rougis de honte, tandis que l'assemblée redouble d'hilarité devant ton humiliation.

— Eh bien, vous pouvez dire à Jabba le Maudit que j'ai même fait plus qu'aider les Jedi. Je leur ai appris quelque chose qu'ils n'auraient pas pu découvrir tout seuls. Comme la cachette de vertex crista…

Ta voix s'estompe, tandis que tu regrettes aussitôt de t'être emporté. Toutes les créatures présentes cessent de ricaner sur-le-champ et se tournent vers Jabba… Comment va-t-il riposter face à une telle grossièreté de la part d'un « invité » ?

— Moota rewuu vertex cristallin bartoo ? Graanda o tawntee ! prononce-t-il en se penchant d'un air intéressé.

— Dans sa grâce infinie, Jabba souhaiterait en savoir davantage au sujet du vertex cristallin sur Teth, dit TC-70. Vous devez répondre, sinon vous mourrez.

Si j'avoue à Jabba le Hutt qu'on a fait exploser la cachette de vertex cristallin, il me fera abattre illico… Mais si je lui dis que le butin est intact, il risque de me ramener avec lui sur Teth… et je pourrais éventuellement m'échapper…

Choisis ton destin…

Si tu décides de divulguer à Jabba que l'Armée de la République a détruit la cache de vertex cristallin, rends-toi au 24.

Si tu préfères lui annoncer que le trésor se trouve toujours sur Teth, va au 133.

104

Tu pivotes et découvres une grande femme mince, un capuchon sur la tête. Tu discernes une paire d'yeux malveillants qui te fixent et, même à cette distance, tu les devines pleins de haine et fureur. Tu jettes un regard par-dessus ton épaule et constates que le droïde destroyer, en entendant la voix de la nouvelle venue, a aussi porté son attention sur toi !

— Que se passe-t-il ? Nexu a volé ta langue ? reprend-elle dans un sourire démoniaque, tandis qu'elle sort une paire de sabres laser de sa cape. Encore faut-il qu'il se batte contre moi !

Du coin de l'œil, tu entrevois une porte qui donne dans le monastère.

Si seulement je pouvais l'atteindre et me fondre ensuite dans l'obscurité !

Mais cet accès te paraît très, très loin…

Choisis ton destin…

Si tu décides de lancer l'explosif sur la femme, va au 16.
Si tu préfères tenter le coup sur le droïde destroyer, rends-toi au 50.
Si tu choisis de foncer sur la porte du monastère, passe au 127.

— Alors, il existe vraiment, dis-tu en regardant dans la direction qu'il pointe du doigt, et tu vois les portes closes du turbo-ascenseur encore en partie cachées par d'épaisses lianes.

— Ouais ! dit Peder, tout excité. Je me baladais dans le coin et me demandais comment être davantage au cœur de l'action, quand j'ai repensé au fameux turbo-ascenseur… qui devait en principe se trouver par ici… Ça valait le coup de jeter un œil !

Peder se crispe soudain sous la douleur.

— On ferait mieux de t'emmener chez un médecin droïde, suggères-tu. Tu arrives à te lever ?

— Bien sûr, grimace-t-il.

Aidé d'un soldat clone et de toi, il se redresse en douceur.

— J'imagine qu'on doit vous laisser, les gars, dis-tu au chef du peloton, en évitant d'avoir l'air trop déçu.

— Merci de votre aide, réplique-t-il en vous regardant. Il faut une sacrée dose de courage et on apprécie !

Puis tu prends Peder par les épaules et vous rentrez lentement chez vous.

Fin

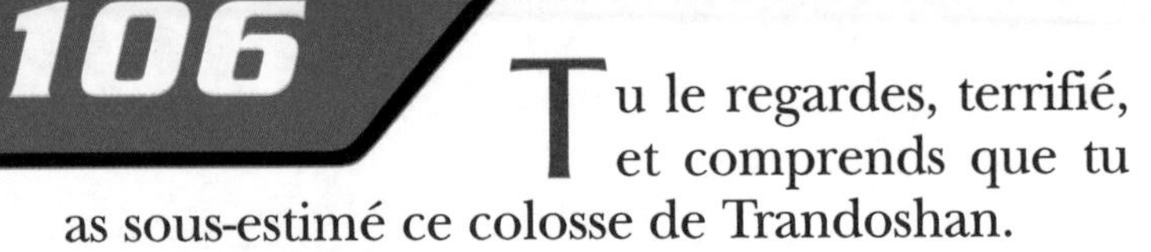

106

Tu le regardes, terrifié, et comprends que tu as sous-estimé ce colosse de Trandoshan.

— Qu'allez-vous faire de moi ? questionnes-tu, les jambes flageolantes.

— Moi ? Rien..., dit-il en t'obligeant à reculer. Mais les faissssceaux de sssécurité qui sss'entrecroisent dans ccce hall auraient pu te tuer.

Tu scrutes le couloir. Il ressemble à tous ceux que tu as déjà vus !

— Quels faisceaux de sécurité ? rétorques-tu, intrigué. Je ne vois rien.

— Ccc'est parccce que j'ai une vue ss-supérieure à la tienne ! explique Rohk en roulant des yeux. Je sssuis capable de voir les ssspectres infrarouges.

— Merci. C'est la deuxième fois que vous me sauvez la vie.

Mais Rohk n'écoute pas. Il s'est mis à plat ventre et commence à ramper sur l'estomac, tel l'humanoïde reptilien qu'il est vraiment.

— Qu'est-ce que vous faites ? demandes-tu, surpris.

— Tu as découvert ccce que je cherchais, lâche-t-il de sa voix sifflante. Un couloir qui sssemble banal, mais doté d'un sssyssstème de sssécurité inhabituel.

Il se relève et scrute une porte qui donne dans le hall, avant d'ajouter :

— Pose-toi la quessstion... Pourquoi cccette porte est-elle aussssi sssécurisée... ?

Il tâtonne tout autour de la porte et finit par trouver ce qu'il cherche... un tableau de commandes, quasi invisible à l'œil nu. À l'aide de ses griffes, il soulève le couvercle, puis examine le boîtier.

— Ccc'est uniquement parccce qu'il y a quelque chose d'une immenssse valeur de l'autre côté...

Tu le regardes couper les fils du boîtier à l'aide de ses griffes tranchantes comme un rasoir, puis la porte s'ouvre en coulissant.

— Ha ! Ha ! s'exclame Rohk en disparaissant dans la pièce.

Va au 87.

Tu restes là, immobile, mais Godalhi t'attrape vivement par le bras.

— Tu es sourd ou quoi ? File dans cette pièce ! Vite, j'entends quelqu'un venir ! hurle-t-il.

— On n'entre pas là-dedans tant qu'on ne sait pas si cette chose… (Tu montres le corps qui gît à terre, un peu plus loin)… a besoin d'aide. Si vous aviez une trousse de premiers secours, on…

— Cette chose est morte ! t'interrompt Godalhi en colère. Le système de sécurité transmet encore des impulsions électriques dans le cadavre. Ce qui est rare, je l'admets. D'où le fait qu'il donne l'impression de remuer. Personne ne peut survivre au système dès lors qu'on l'a déclenché. Je l'ai moi-même installé !

Tu contemples à nouveau la créature et comprends que Godalhi a raison. Les mouvements sont artificiels, saccadés… et tu sens les larmes te monter aux yeux.

— Viens, dit Peder, en t'attirant dans la pièce. C'est pas le moment de s'apitoyer. On doit se planquer !

Une salve de tirs de blaster passe en sifflant juste au-dessus de ta tête, tandis que Godalhi t'oblige à t'aplatir au sol... C'est une attaque en bonne et due forme !

— Vous deux, derrière ces caisses ! commande-t-il.

Peder et toi obtempérez sans sourciller, cette fois.

Protégé par un grand conteneur, Godalhi interpelle vos agresseurs.

— Je vous conseille de ne pas faire un pas de plus ! Tout ce couloir est piégé... Un faux mouvement et vous êtes morts !

Silence dans le hall... Tu te demandes si vos assaillants l'ont entendu, quand tu perçois soudain une voix de synthèse :

— Qui êtes-vous ? Que faites-vous là ?

— Je pourrais vous poser la même question ! riposte Godalhi.

Nouveau silence... Vos agresseurs semblent décider de la marche à suivre.

— Nous sommes des soldats clones de l'armée de la République ! répond la voix. Nous avons atterri sur Teth ce matin. Nos services de renseignements nous indiquaient que les Séparatistes cachaient sur cette planète quelqu'un que nous recherchions. Nous l'avons trouvé et sécurisons le secteur !

Peder se tourne vers toi en écarquillant les yeux.

— Ils n'ont pas mis longtemps à vaincre les Séparatistes, chuchote-t-il.

Non, en effet, songes-tu, incertain, en te rappelant que les Séparatistes étaient en position de supériorité, au sommet du plateau.

Godalhi penche prudemment la tête dans le couloir et évalue la situation.

— Je vous vois ! crie-t-il. Restez où vous êtes et je vais désactiver le système. Ensuite, vous me raconterez ce qui s'est passé.

S'il ne parle pas de vous deux, c'est parce qu'il tient à garder votre présence secrète, supposes-tu. Peut-être que, comme toi, il ignore s'il peut ou non se fier à ces soldats ?

Choisis ton destin...

Si tu décides de faire confiance aux soldats clones, va au 113.

Si tu trouves tout cela bizarre, rends-toi au 32.

La cabine arrive quasiment au niveau du Trandoshan, quand il te crie de sauter. Tu bondis vers lui et, fidèle à sa parole, il te récupère sur le palier.

— J'ai la nausée, avoues-tu en t'écroulant aux pieds de ton sauveur.

— Tu m'étonnes ! réplique-t-il du tac au tac. Qu'essst-ce que tu fabriquais dans cccette cage d'assscenssseur ? Tu cachais quelque chose, ccc'est ççça ?

— Vous rigolez ? J'ai failli y laisser ma peau !

Ignorant ton air indigné, le Trandoshan s'avance et se penche pour scruter la cage, comme s'il doutait de ta sincérité.

— Hé ! Je ne suis pas un menteur ! Et vous êtes qui, d'abord ? Qu'est-ce que vous faites dans le monastère des B'omarr ?

— Dis donc, je pourrais te poser la même quessstion…

Mais il comprend qu'il t'a vexé et s'empresse d'ajouter :

— Je m'appelle Quar Rohk. J'ai une missssion à remplir iccci et sssitôt qu'elle est finie, je m'en vais.

— Vous travaillez pour les Séparatistes ? questionnes-tu d'un air soupçonneux.

— Bah… ççça ne me dérangerait pas,

ricane Rohk. Mais disons que je loue mes ssserviccces au plus offrant. Je ne sssuis pas plus fidèle aux Ssséparatissstes qu'à la République.

Une explosion résonne alors quelque part, pas très loin.

— Viens, n'oublions pas qu'on ssse trouve au cœur d'une bataille ! s'exclame Rohk en t'aidant à te mettre debout. Autant sss'entraider, pas vrai ?

Passe au 57.

Qu'est-ce que je vais faire ?

Cette demi-seconde d'indécision suffit à Ventress. Elle t'attrape et t'attire à elle. Ses yeux te transpercent comme si elle sondait ton âme.

Lentement, ils se mettent à rouler dans leurs orbites, et tout devient flou autour de toi, comme si de la fumée envahissait le couloir.

— Tu as fait un choix judicieux, jeune homme, prononce-t-elle d'une voix douce, tandis que ta vision s'éclaircit.

Devant toi apparaît le sourire cruel, malsain, de ton nouveau Maître…

— Oh, Quar Rohk, minaude Ventress en entrant dans la pièce, comme tu es prévisible ! D'abord, tu m'aides à kidnapper cet écœurant petit Hutt pour les Séparatistes, et maintenant tu essaies de les voler.

— Je… je…, bégaie Rohk en reculant.

— J'aurais pu te tuer, mais je me doutais que tu chercherais le vertex cristallin. Je me suis dit que ce serait plus drôle de m'amuser un peu avec toi, ajoute-t-elle avant de te remarquer. Et quelle est donc cette petite chose ? Ton déjeuner ?

Ni lui ni toi ne lui répondez, tandis que Ventress bondit soudain sur Rohk.

— Je commence à m'ennuyer, soupire-t-elle. Alors je crois que je vais te tuer.

— Tu peux me laisser partir, voyons ! Je ne parlerai à personne de cette cachette, et le petit ne dira rien non plus ! s'écrie-t-il en gesticulant.

— Exact, tu ne diras rien, parce que tu seras MORT ! rugit-elle en le traînant dans le couloir. Prépare-toi à mourir, Quar Rohk !

Depuis la pièce, tu l'entends activer son sabre laser.

Je n'ai pas envie de mourir comme ça, songes-tu en tremblant d'effroi. *Mais pendant que Ven-*

tress s'occupe de lui, je pourrais en profiter pour m'échapper. C'est lui ou moi…

Choisis ton destin…

Si tu décides d'aider Quar Rohk, qui t'a sauvé la vie deux fois, rends-toi au 46.
Si tu préfères prendre la fuite, va au 64.

111

Tu souris en songeant que tu rêves depuis toujours de découvrir le lieu où Anakin Skywalker est né et a grandi. Et voilà qu'on t'en offre la possibilité !

Ce serait sympa d'y faire un saut, avant de rentrer à la maison... OK, mais que dira Obi-Wan s'il apprend que je me suis servi du vaisseau Credaan pour me balader dans la galaxie ? D'un autre côté... quand est-ce qu'une telle occasion va se représenter ?

Tu inspires un grand coup, entres les coordonnées sur la console de navigation... et te voilà parti !

Mais en t'approchant de l'orbite de la planète, trois vaisseaux surgissent soudain de derrière l'un des soleils de Tatooine. Tu consultes alors l'ordinateur de bord et tes pires frayeurs sont confirmées... Des chasseurs pilotés par des gardes Magna !

Choisis ton destin...

Si tu décides de tenter de leur échapper, rends-toi au 137.

Si tu préfères te rendre, va au 114.

— Je n'ai pas vraiment le choix, hein ? réponds-tu d'une voix irritée. Je vais donc devenir un Sith et me joindre à vous pour combattre la République !

— Tu es aussi brave et intelligent que me l'a confié Ventress, déclare Dooku, satisfait. Cela valait la peine que je me déplace depuis Tatooine pour assister à ta conversion.

— Oui, Maître, affirmes-tu sans hésiter, en chassant toutes les pensées de ton esprit.

Mais lorsque tu te retrouves seul, tu es tourmenté à l'idée qu'un jour tu seras détruit en pleine bataille, totalement sous le contrôle de Dooku !

— Je m'appelle Janu Godalhi et suis l'ami du Maître Jedi Plo Koon. Je dois m'approcher afin de désactiver le système ! prévient-il en s'adressant aux soldats clones.

Ses paroles te rassurent et tu sais à présent qu'on peut faire confiance à ces soldats.

Pendant que Godalhi neutralise le système, tu te demandes comment il peut passer avec une telle facilité du vieillard excentrique à l'expert en sécurité.

Ça doit faire partie de son camouflage, penses-tu avec respect pour la personnalité loufoque du vieux bonhomme. *Nul doute qu'il m'a bien piégé !*

Tout en gardant la tête baissée, Peder et toi entendez le bruit du système qu'on désactive, puis celui des militaires qui s'approchent lentement.

— Merci, monsieur, dit le soldat. Nous ignorions que ce tunnel était si lourdement protégé. Si vous permettez, je dois signaler notre position à mon officier supérieur.

Tu entends le soldat se déplacer et allumer son comlink.

Jusque-là, Janu Godalhi se méfiait encore un peu des soldats clones, mais il sait désormais qu'ils sont authentiques.

— Ne bougez plus ! s'écrie-t-il soudain dans un rire nerveux, en reprenant son rôle de vieux bonhomme. Je suis vraiment navré, mais j'ai omis de désactiver le champ de Cri'ardon. Cela aurait pu mal tourner ! Heureusement que vous êtes là, messieurs. Vous nous avez évité un déplacement inutile. Montrez-vous, jeunes gens ! lance-t-il à Peder et toi. Il n'y a rien à craindre, mais j'ai bien peur que votre aventure s'arrête là !

114

Que fabriquent des gardes Magna au-dessus de Tatooine ? Et qu'est-ce qu'ils me veulent ?

Les trois chasseurs te talonnent…

Soudain, la voix d'un garde Magna t'ordonne sur le comport :

— Mettez votre vaisseau en position d'atterrissage… TOUT DE SUITE !

Tu n'as pas le choix… Ton vieux vaisseau Creedan ne fait pas le poids ! Tu atterris et, en débarquant, tu découvres les trois gardes Magna qui t'attendent.

— Avance ! t'ordonne l'un d'eux en cinglant l'air de son bâton électrique, qui passe si près de toi que tes cheveux se hérissent.

Une fois au sommet d'une haute dune, tu vois une tour massive et peu élevée, flanquée de deux autres tours étroites… toutes de la même couleur que le désert ambiant. La mer des Dunes occidentale !

— On va là-bas ? demandes-tu à un garde, qui t'ignore. Le garde te pousse dans le dos et te fait dévaler la dune en roulant sur toi-même.

Passe au 103.

— Tu as accepté de m'obéir, réplique Godalhi en te regardant d'un œil noir.

— Oui, bien sûr…

À ces mots, tu entraînes Peder avec toi et plonges dans l'antichambre, bien plus inquiet par le bruit de pas qui s'approchent que par la créature qui remue dans le couloir. Sitôt que vous avez franchi la porte, elle se ferme et quelqu'un donne un tour de clé.

— Qu… qu… qu'est-ce que vous faites ? t'écries-tu, mi-effrayé, mi-agacé. Pourquoi vous nous enfermez, Janu ?

— Désolé, les petits… C'est trop dangereux pour vous de circuler comme bon vous semble, quand les Séparatistes sont sur Teth. Je viendrai vous libérer lorsqu'ils seront partis.

— Vous ne pouvez pas nous laisser là ! On n'est plus des gamins ! t'exclames-tu.

Peder te regarde et hausse les épaules.

— Cet homme est cinglé, c'est clair. On ne peut rien y faire.

Résigné, il s'assoit par terre et se prépare à une longue attente…

Fin

Ta motojet crachote et finit par caler. Tu savais que tu courais un risque en empruntant un véhicule abandonné… Ce n'est pas un hasard si quelqu'un l'avait laissé là !

Les droïdes destroyers s'approchent et, même s'il te reste trois grenades, ça ne te suffira pas pour sauver ta peau…

Je vais y passer… Mais je me battrai jusqu'au bout !

— Par ici, espèces de tas de ferraille robotisés ! beugles-tu en lançant une grenade au milieu de la première offensive de droïdekas. Un Tethien va vous conduire à la décharge !

Une fois que vous êtes sortis de la cantina en rampant, ton envie de vomir s'est dissipée !

— C'était… incroyable, dit Peder en te souriant. J'ai cru qu'on était encore plus morts qu'un krabbex !

— Moi aussi, approuves-tu, quoique d'un ton moins enthousiaste. Quel genre d'expert en sécurité peut traîner dans une cantina pareille ?

— Le genre qui souhaite savoir à quel criminel il a affaire quand il conçoit un système de sécurité, je suppose, répond joyeusement Peder. Sois proche de tes amis, encore plus proche de tes ennemis et de ton cœur de cible assez idiot pour te laisser découvrir ses secrets !

— Écoute, Peder, reprends-tu d'un ton hésitant. On a failli se faire tuer là-dedans. T'es sûr de vouloir continuer à chercher Janu Godalhi ?

— Tout à fait ! Par où on commence ?

Tu pousses un long soupir. Tu te doutais bien qu'il allait te poser cette question…

Passe au 49.

118

Tu te promènes dans le hall du Sénat, prêt à déguerpir si tu attires un peu trop l'attention des gardes qui ne cessent de faire des rondes. Tu aperçois enfin la Sénatrice Amidala qui quitte le bâtiment, entourée de ses gardes du corps. Tu cours vers elle comme un fou, en l'interpelant.

— Sénatrice Amidala, un instant, s'il vous plaît !

Aussitôt, deux de ses gardes du corps s'interposent entre elle et toi, blaster au poing.

Tu t'arrêtes net et lèves les mains, tandis que les gardes restants éloignent la femme politique, qui te regarde à peine.

— Pas un geste, grogne l'un d'eux en te menaçant avec son blaster. La sénatrice n'a pas le temps de parler à des individus dans ton genre.

Tu fixes le canon du blaster braqué sur toi et réfléchis aux choix qui s'offrent à toi.

Choisis ton destin...

Si tu décides d'insister pour parler à la sénatrice, passe au 60.
Si tu préfères agir autrement, rends-toi au 70.

La porte se referme et tu comprends, horrifié, que Ventress sait que tu n'as aucune chance de réussir ! C'est juste un stratagème pour prolonger ton angoisse avant la mort ! Tu inspires, retires le couvercle du boîtier… puis te mets à pianoter au hasard sur le clavier… Soudain, tu entends un déclic dans ton dos !

J'ai trouvé le bon code ? t'interroges-tu, stupéfait. Brusquement, le sol se met à vibrer et, au milieu de la pièce, il commence à s'ouvrir ! Tu recules et aperçois la fosse en contrebas.

— Ha ! Ha ! Ha ! Le petit Tethien a cru qu'il avait réussi ! ricane la voix de Ventress.

Elle m'espionne ! songes-tu, tandis que le sol se dérobe, et que le trou dans lequel tu vas tomber s'agrandit. Mais ta peur a fait place à la rage et à la soif de vengeance !

— Seule une lâche se cacherait, Ventress ! hurles-tu en couvrant le vacarme des caisses qui dégringolent. Vous croyez m'effrayer ?

Tu ne peux aller nulle part… et bientôt, comme tes pieds n'ont plus d'appui, tu plonges la tête la première dans la fosse.

Va au 93.

120

Tu essaies de sortir le blaster caché sous ta tunique. Dans l'intervalle, Ventress décime les soldats un à un.

Satisfaite, la femme se retourne vers toi et, voyant le blaster dans ta main, elle te l'arrache en usant de la Force.

— Je me demande si tu m'aurais tuée, dit-elle posément en te regardant de haut en bas.

— Je l'aurais fait avec joie ! lui cries-tu, le courage remplaçant la peur.

— Peut-être qu'il y a une place pour toi en fait…

— Je préfère mourir plutôt que de vous rejoindre ! craches-tu.

— Si tu ne me rejoins pas de bon cœur, je suis sûre qu'on peut t'en persuader !

En t'attirant à elle, Ventress te fixe du regard sans ciller… et le monde se met à tourner, tandis que tu te sens flotter dans l'espace-temps…

— Bientôt tu tomberas en mon pouvoir, jeune homme… murmure-t-elle. Et j'aurai un apprenti digne de ce nom.

Fin

Tout en levant leurs armes, les droïdes te regardent avec leurs yeux rouges furieux et méprisants.

— Je l'ai ! t'écries-tu en sortant ta dernière grenade haywire que tu lances sur les droïdes.

— Ne crains rien, petit, dit Obi-Wan en usant de la Force pour fermer les portes.

La grenade rebondit sur les portes à présent closes pour atterrir entre vous deux.

— Ouvre les portes ! Ouvre ces maudites portes ! braille Kenobi en s'emparant de l'explosif, tandis que tu te rues sur le tableau de commandes.

Les portes se rouvrent et Kenobi lance la grenade au milieu des droïdes.

— Un petit cadeau pour vous ! se moque-t-il, avant de refermer les portes en usant de la Force.

La grenade explose et des arcs électriques envahissent la cabine en vous projetant à terre, mais vous êtes indemnes.

— Si ça ne te dérange pas, j'aime autant me charger des problèmes délicats, OK ? dit le Jedi, qui se relève en s'époussetant.

— Bien sûr, Maître Kenobi !

— Bien… il semble que tu aies l'avantage de me connaître. Et à qui ai-je l'honneur ?

— Je suis de Teth, réponds-tu fièrement. Mon copain et moi, on a vu vos vaisseaux de combat arriver et…

Obi-Wan lève la main pour t'interrompre.

— Je crois que je peux deviner la suite. J'ai aussi eu affaire à des jeunes gens curieux, dont un en particulier…, dit-il en souriant.

Il doit faire allusion à Anakin Skywalker, songes-tu, tout excité d'être comparé à ton héros.

— Il est temps pour toi de rentrer à la maison et pour moi de regagner mon vaisseau. Notre mission ici au Château du Hutt est couronnée de succès, se félicite-t-il.

— M… mais, général, les Séparatistes ont investi le monastère. Vous ne pouvez quand même pas partir maintenant ?

Les portes s'ouvrent et Kenobi s'assure que la voie est libre.

— À présent que les Séparatistes ont perdu leur trésor, ils vont quitter ta planète.

— Mais, Maître Kenobi, insistes-tu. Et les plans que j'ai découverts ?

— Les plans ? répète Kenobi en s'arrêtant net. De quoi parles-tu ?

Continue au 20.

À la place des murs, il n'y a plus que des gravats, l'explosion ayant tout balayé sur son passage.

— On a vraiment eu de la chance, dis-tu en boitillant aux côtés de Kenobi.

— La chance n'a rien à voir là-dedans, petit. Cette explosion n'est rien comparée à la puissance de la Force !

— Mais au sujet du vertex cristallin et des projets d'une super-arme, qu'est-ce qu'on va faire ?

— Tout a disparu… Regarde autour de toi. Est-ce que du minerai aurait pu résister à une telle catastrophe ? Même si je ne doute pas que les Séparatistes ont des archives de leurs plans, il faudra du temps pour rassembler une aussi grande quantité de vertex cristallin afin de financer ce projet. Et tout cela, grâce à toi, petit !

— Obi-Wan, vous me recevez ? grésille une voix dans le comlink du Maître Jedi.

— Kenobi, j'écoute. Anakin, as-tu atterri sur Tatooine ?

— Presque, mais nous avons croisé de vieilles connaiss…, commence Anakin avant d'être interrompu.

— Anakin ? Ton vaisseau s'est encore fait

abattre en plein vol ? demande Obi-Wan d'une voix sévère.

Mais tu vois bien que ses yeux pétillent.

— Oui ! répond une autre voix lointaine.

— Je suis encore en train de nettoyer les dégâts que tu as laissés, mais je te rejoins dès que possible, ajoute Kenobi en souriant.

Aucune réponse…

— Anakin ? Bon sang, il n'y a plus de liaison !

Le Maître Jedi se tourne alors vers toi.

— Je dois prendre un vaisseau pour regagner *L'Esprit de la République*, étant donné que mon chasseur a subi de nombreux dégâts à mon arrivée sur Teth. C'est à toi d'en décider, mais ça te plairait peut-être de m'accompagner ?

— Avec plaisir, Maître Kenobi ! t'exclames-tu avec enthousiasme.

Continue au 4.

Tu te réveilles en entendant frapper à la porte, et Obi-Wan entre dans le module.

— Je ne voulais pas te réveiller, mais l'*Esprit de la République* est sur le point de retrouver Anakin Skywalker et j'ai besoin de connaître ta décision.

Tu te redresses en souriant.

— Maître Kenobi. J'ai rêvé de Ventress et de ce qui s'est passé au monastère, mais je n'avais pas peur. Au contraire, je me suis senti invincible.

— C'est un signe encourageant.

— Ce que j'essaie de vous dire, Maître… c'est que je souhaite rejoindre les Jedi et entrer à l'Académie. Si vous voulez toujours de moi, bien sûr !

Obi-Wan éclate de rire.

— Il vaudrait mieux que nous retournions à Coruscant, afin que tu puisses prendre ta place au sein de l'Académie, mais comme je te le disais, on nous attend à Tatooine pour soutenir Anakin dans sa mission. Tu vas donc nous accompagner, précise Kenobi en souriant. Mais pour l'amour de Pidart, tâche de ne pas t'attirer d'ennuis, cette fois !

Fin

124

Tu t'empresses de bondir dans le sillage de Peder, dès que tu entends les tirs de laser passer au-dessus de ta tête !

Tu tombes à plat ventre, Peder te relève, et vous filez tous deux loin du danger, en courant comme des fous... avant de vous effondrer sous les feuilles géantes d'un buisson de randoos.

— Waouh ! J'ai bien cru qu'on allait y passer ! dit Peder en reprenant son souffle avec peine, le regard étincelant.

— Moi aussi ! avoues-tu, en songeant au droïde et à son œil rouge clignotant.

Tu restes assis là un petit moment à te réjouir de votre bonne fortune, quand Peder reprend :

— Je me demande ce qui se passe au monastère des B'omarr.

— C'est évident, non ? Les Séparatistes s'en servent de base secrète ou un truc comme ça.

— Peut-être, mais il doit y avoir autre ch...

— Tu sais qui pourrait le savoir, pas vrai ?

Tu hésites à le lui demander. Après tout, la dernière idée de Peder a failli vous faire tuer.

— Janu Godalhi ! lâche-t-il, sans te laisser le temps de deviner.

L'historien légendaire, expert en sécurité, et ancien policier de Teth.

— Janu Godalhi ? Pourquoi se donnerait-il la peine de nous parler ?

— Parce qu'il doit de l'argent à mon père, explique Peder, sourire narquois aux lèvres, en se relevant. Remue-toi, on va à Raidos.

Passe au 129.

125

Ventress… Ventress… Ventress…

Son nom résonne au quatre coins de la salle et la peur te saisit.

— Bandes d'imbéciles ! braille-t-elle en t'attrapant par le bras pour te pousser contre un soldat clone. Est-ce que ça ressemble à celui que je recherche ?

— Nous avions pour ordre de trouver l'humain et de vous le ramener, répond le clone.

Tu perçois une différence de ton dans sa voix… serait-ce de l'insolence ?

Mais Ventress ne paraît pas l'avoir remarqué et se retourne vers toi.

— Je me demande si tu pourrais me servir d'appât ! sourit-elle. Un pitoyable appât humain pour capturer un de ses semblables. Comme vous êtes tous minables et prévisibles !

Elle t'attrape à nouveau et te regarde droit dans les yeux. Tu commences à sentir tes jambes flageoler et ta tête tourner… Qu'est-ce qui t'arrive ?

— Bientôt tu seras en mon pouvoir et tu appelleras Skywalker pour qu'il te vienne en aide… Il ne sera pas en mesure de refuser, roucoule Ventress.

Le bruit des tirs de blaster t'arrache à ton

état hypnotique et un soldat clone s'interpose entre Ventress et toi, en te libérant de son emprise.

— Va-t'en ! hurle-t-il. Je n'ai pas oublié le code Mandolorien ! Je ne l'oublierai jamais tant que je vivrai !

— Ce qui ne va plus durer longtemps ! rétorque Ventress en colère.

Tu fais un signe de tête au soldat qui est sur le point de se sacrifier pour te sauver et, tout en reconnaissant le grésillement d'un sabre laser, tu te précipites vers la porte.

Tu l'as presque franchie, quand tu perçois un cri derrière toi et le bruit d'un corps qui s'écroule lourdement à terre…

Choisis ton destin…

Si tu décides de venger ce soldat, rends-toi au 2.

Si tu préfères fuir, va au 15.

Le RT-TT tremble et place ses deux pieds avant sur le versant de la falaise. Les deux pieds du milieu suivent, dont celui auquel tu t'agrippes. Enfin les deux derniers se rattachent l'un à l'autre, tandis que tu changes de position pour suivre l'engin qui gravit désormais un plan vertical.

Tandis qu'il avance, tu te souviens qu'il y a une corniche en surplomb, un peu avant d'arriver au sommet…

Je dois remonter sur sa carcasse et m'approcher du canon, te dis-tu, certain qu'en t'appuyant sur une surface plus grande, tu seras davantage en sécurité.

Mais tu commets l'erreur fatale de regarder vers le bas ! Depuis cette hauteur, tu vois l'épave en flammes d'un RT-TT qui a dégringolé. Autour des débris, tu distingues les corps disloqués des soldats clones blessés ou abattus, alors qu'ils escaladaient la falaise.

Tu prends une profonde inspiration et progresses lentement le long de la jambe jusqu'à ce que tu parviennes au moteur principal… et tu peux enfin placer tes pieds en toute sécurité sur le corps du RT-TT.

— Jusqu'ici, tout va bien, dis-tu. Encore huit mètres environ…

Tu vas devoir escalader le flanc de l'engin pour éviter d'être repéré par l'artilleur posté juste derrière le canon. *S'il me voit, que va-t-il faire ? Un coucou d'un geste de la main ?*

Tu réprimes un sourire, puis tends les bras et tâtonnes en quête de cavités dans la cuirasse de l'engin pour y glisser les doigts… et tu te soulèves le long du corps métallique.

Tu parviens enfin à l'avant du RT-TT et, tout en prenant soin d'éviter à la fois la télémétrie et les canons laser antipersonnels, tu te hisses dans une position relativement stable.

J'ai réussi ! songes-tu, triomphant.

Toutefois, en levant le nez sur la corniche, tu réalises que tu seras à découvert quand le RT-TT atteindra cette saillie rocheuse…

Sans arme, sans cuirasse, sans avoir prévu un plan B ? La situation ne peut pas être pire…

Rends-toi au 14.

127

La puissance de l'explosion te projette à terre et, en te redressant, tu vois le droïde destroyer se désintégrer !

Voyant que tu es en danger, les soldats clones font diversion.

— Par ici, espèce de cauchemar Séparatiste ! s'exclame l'un d'eux.

Tu saisis l'occasion pour te précipiter vers la porte et entends les cris suraigus de la femme dans ton dos, tandis qu'elle se bat contre les soldats. Tu franchis la porte comme une flèche, puis te réfugies derrière une colonne, au fond de la salle.

Tout à coup, un peloton de soldats clones déboule, poursuivi par les super-droïdes de combat. Les tirs au laser ricochent sur la colonne… Tu sors ton blaster et fais feu sur les machines Séparatistes !

Mais les super-droïdes de combat ne cessent d'envahir la salle, rejoints par d'autres droïdes destroyers, et les soldats clones commencent à succomber sous les effectifs écrasants de l'Armée Séparatiste.

Tu aperçois la femme dans la cour, ses deux sabres parant les tirs au laser, et comprends que la situation est sans espoir… Les soldats ne peuvent faire face à l'inévitable. Tu dois fuir, avant d'être repéré par les droïdes.

Surgissant de derrière ta colonne, tu piques un *sprint* vers l'escalier. Tu dévales les marches et ne t'arrêtes que lorsque tu n'entends presque plus rien des combats qui font rage au-dessus… pour t'effondrer par terre, à bout de souffle.

Tu remarques alors, de l'autre côté du couloir, un écran d'ordinateur. Tu t'approches pour examiner l'écran.

Tu y découvres le schéma d'une planète ou d'une lune qui tourne lentement sur elle-même, avant d'apparaître en gros plan. Tu distingues alors ce qui la compose : air purifié, plates-formes de décollage, et huit lasers convergeant en un super-laser unique. Une arme de destruction massive ! De la taille d'une planète !

Avant que tu puisses en découvrir davantage, des parasites envahissent l'écran, bientôt remplacés par des pages d'un holoblog détaillant des livraisons d'énormes quantités de vertex cristallin, l'une des matières premières les plus précieuses de la galaxie, effectuées au monastère des B'omarr.

Tu as entendu les rumeurs selon lesquelles le monastère est, ou a été, utilisé par des contrebandiers… Et si les Séparatistes s'en servaient aussi ? Pour y amasser en cachette du vertex cristallin, dans le but de financer une super-arme capable de détruire l'Armée de la République ?

L'écran grésille et l'image de la super-arme repasse en boucle.

Tu entends les soldats clones descendre jusqu'au niveau où tu te trouves. Tu te précipites au bas de l'escalier et entrevois des éclats de laser, tandis que les militaires dévalent les marches de l'étage au-dessus.

Tu hésites une seconde… mais tu remarques une ombre et t'en approches en courant, pour découvrir une motojet cabossée.

Le tableau de contrôle grésille et crache une pluie d'étincelles. Si tu ne cherches pas qui se cache derrière la super-arme, le temps de trouver un autre ordinateur, la liaison principale pourrait être endommagée. Mais les droïdes se rapprochent…

Choisis ton destin…

Si tu décides de pirater l'ordinateur, rends-toi au 74.

Si penses avoir besoin d'aide, prends la motojet et va au 9.

Si tu préfères garder l'espoir que le danger soit seulement passager, rends-toi au 3.

Tu sais que Godalhi dit vrai. C'est dangereux, mais tu ne peux pas laisser cette pauvre créature souffrir !

— Tu n'as pas compris ! hurle-t-il loin derrière toi. Le système de sécurité ! Il envoie des milliers de cri'ans d'électricité dans le cadavre ! C'est pourquoi celui-ci donne l'impression de remuer ! Le système est encore activ…

ZAAAAAAAAP !

129

Sur vos motojets à plein gaz, vous ne tardez pas à atteindre les portes principales de Raidos. En vous arrêtant pour parler aux deux sentinelles Barabels, vous flairez déjà le parfum de corruption dans l'air vicié qui flotte au-dessus de la ville la plus dangereuse et la plus anarchique de Teth.

— Qu'avons-nous donc là ? dit le garde gluant, en vous accueillant.

— Très bonne quessstion, renchérit son camarade, en agitant sa queue couverte d'écailles, tandis qu'il lorgne d'un air songeur sur les motojets.

Avant que tu puisses l'arrêter, Peder met son grain de sel :

— On cherche Janu Godalhi ! Vous savez où le trouver ?

— Janu Godalhi, dis-tu ? Hmmm… peut-être qu'on sssait et peut-être qu'on sssait pas, répond l'un des vigiles d'un ton mystérieux.

Mais tu t'attendais à ce genre de réaction.

— Bon, qu'est-ce qui pourrait vous rafraîchir la mémoire ? questionnes-tu, sachant fort bien que tu as peu d'argent pour graisser les pattes froides et pleines d'écailles de ces deux spécimens.

— Une motojet, ççça pourrait faire l'affaire, répond la sentinelle, avec l'innocence d'un humanoïde reptilien de deux mètres de haut, doté d'une dentition à rendre jaloux un Graculien !

Choisis ton destin...

Si tu décides de céder une motojet,
va au 22.
Si tu refuses de t'en séparer,
va au 95.

130

C'est trop dangereux ! Si le droïde vigile te voit, il peut te tirer dessus… tout comme le patron de la mine. Mais c'est un risque à courir, car si aucune autre occasion se présente… que vas-tu faire ?

Tu restes étendu immobile et, après une autre série de questions, le véhicule redémarre et tu es projeté contre le dossier du siège.

— Du calme, là derrière, grogne ton ravisseur. Et ne t'avise pas de faire le mariole !

Ballotté, couvert de bleus, tu bouges le moins possible, quand tu éprouves soudain une étrange sensation, comme si le sol se dérobait sous toi !

On est dans un turbo-ascenseur !

L'instant d'après, tu entends la voix d'un droïde annoncer : « Niveau 324. Raffinerie et logements des mineurs. »

Tu es arrivé à destination… Bienvenue dans une vie d'esclavage !

Fin

Vous retournez tous les trois à la Nouvelle Bibliothèque de Raidos, puis reprenez le couloir secret qui la relie au monastère.

Une fois arrivés devant les turbo-ascenseurs, Godalhi se tourne vers vous deux.

— Les galeries et les pièces du monastère sont conçues pour désorienter les intrus. Tous les couloirs se ressemblent et l'on peut facilement se perdre, alors restez près de moi.

En entrant dans la cabine, tu racontes à Godalhi le problème que tu as rencontré précédemment. Il retire la plaque du boîtier de commandes et tripote le câblage. Quand l'ascenseur attaque son ascension, le trajet se déroule sans encombre, cette fois !

— Nous devons trouver une console de communication, reprend Godalhi. Je peux la pirater et, avec un peu de chance, nous trouverons des indices.

Lorsque les portes s'ouvrent, vous voilà dans un long hall lugubre. Godalhi sort, tu lui emboîtes le pas, et Rohk ferme la marche. Au fil des nombreuses galeries, tu tombes sur un soldat clone mort et tu le fouilles, en quête d'armes éventuelles… avant d'empocher une poignée d'explosifs qui pourront te servir.

— On n'est jamais trop prudent, dis-tu en faisant un clin d'œil à Rohk, qui te regarde d'un air gêné.

Vous repérez bientôt une console et, après avoir procédé à quelques modifications, Godalhi se débrouille pour entrer dans le système.

— Voilà ce que je vais faire, explique-t-il sans détacher ses yeux de l'écran. J'examine toutes les mesures de sécurité actuellement en place dans le monastère. S'il y a la moindre pièce pourvue d'un niveau de protection injustifié, c'est qu'elle renferme sans doute ce que nous recherchons.

Tu observes Rohk du coin de l'œil. L'air nerveux, il se dandine d'un pied sur l'autre.

Peut-être qu'il s'affole à l'idée que les Séparatistes peuvent débarquer à tout moment. À moins que son attitude ne trahisse autre chose…

— J'y suis, murmure soudain Godalhi, en t'arrachant à tes réflexions. Il existe une pièce, à un niveau inférieur, qui bénéficie des toutes dernières innovations technologiques en matière de sécurité.

Vous reprenez donc le turbo-ascenseur et descendez de quelques étages mais, une fois sur le palier, tu remarques qu'il ressemble parfaitement à celui dont vous venez.

— Comme je te le disais, explique Godalhi. Le plan au sol ne diffère pas d'un niveau à l'autre, ce qui est un système de sécurité.

Vous vous pressez dans le couloir et Godalhi s'arrête soudain devant une pièce qui paraît identique à toutes celles devant lesquelles vous venez de passer… sauf qu'elle dispose d'un boîtier de sécurité intelligemment dissimulé.

— Subtil, commente Godalhi, admiratif, en retirant le couvercle pour modifier deux ou trois éléments à l'intérieur. Si nous n'avions pas su d'avance que cette pièce était importante, nous serions passés devant sans rien voir !

— Si c'est le top en matière de sécurité, qu'est-ce qui vous fait croire qu'on peut entrer là-dedans ?

— Parce que, répond-il tandis que la porte s'ouvre en coulissant, c'est moi qu'il l'ai conçu !

Va au 43.

132

Tu tombes à genoux en lâchant le blaster, qui dégringole par terre dans un tintement métallique.

— Je devais le faire ! hurles-tu. J'étais obligé !

— Ouais, t'avais pas le choix, approuve Quar Rohk d'un ton désinvolte. Et moi, je sssuis bien obligé de te me débarrasssser de toi.

Tu lèves sur lui tes yeux noyés de larmes.

— Quoi ? Vous avez dit que c'était lui ou moi ! rétorques-tu, la confusion se lisant sur ton visage.

— J'aurais dû dire que ccc'était lui ET toi ! Impossssible de te le laisssser partir. Tu vas répéter à Jabba le Hutt que j'ai volé le trésor des Ssséparatissstes.

— Pourquoi ? Pourquoi vous me faites ça ?

— Parccce que je sssuis un Trandoshan, j'imagine…

Fin

— Veuillez, je vous prie, transmettre au bienveillant Jabba toutes mes excuses pour mes mauvaises manières, déclares-tu en t'inclinant devant le seigneur du crime, qui acquiesce d'un hochement de tête. Et que, bien entendu, je vais lui confier tout ce qu'il souhaite savoir au sujet de la cache de vertex cristallin.

Ravi de constater que tu es prêt à coopérer, Jabba exige de connaître l'emplacement exact du trésor, le nom de son propriétaire, et un million d'autres choses. Tu inventes des tas de réponses plausibles à toutes ses questions, en insistant sur le fait que tu sais exactement où trouver le magot dans le dédale de pièces et de couloirs du monastère des B'omarr.

— Inutile d'imaginer qu'on puisse trouver le vertex cristallin en se promenant au hasard, ajoutes-tu d'un air astucieux.

Une fois à court de question, Jabba t'observe en silence… Nul doute qu'il tente de décider s'il doit te croire ou non.

— Sloopu maka trewara. Pero fundoo slakee patoo Tatooine ! déclare-t-il enfin.

— Le majestueux Jabba souhaite te faire savoir que, pour l'instant, tu lui es plus utile vivant que mort, traduit TC-70.

Tu pousses alors un soupir de soulagement.

— Mais, précise-t-il, si l'on découvre que tu lui as menti, tu vas regretter ta venue à Tatooine.

Ne vous inquiétez pas, songes-tu, résigné, *je la regrette déjà !*

— Je suppose qu'on n'a plus qu'à trouver la cantina favorite de Janu Godalhi, déclares-tu.

— Oh, ça ne devrait pas être trop difficile, ricane Peder. Il doit y avoir un million de cantinas à Raidos !

— Eh bien, on va toutes les passer au crible, l'une après l'autre, dis-tu, en te frayant un chemin dans cette marée d'humanoïdes, reptiliens, aviaires et mammifères.

Tu n'as pas beaucoup avancé, quand tu aperçois trois joyeux Bothans, bras-dessus, bras-dessous, qui sortent en titubant d'une cantina.

— Là ! dis-tu à Peder, en soulevant le rideau poussiéreux pour entrer dans la salle étonnamment aérée de l'établissement.

Mais ta confiance s'envole en remarquant qu'un nombre incroyable d'yeux, d'oreilles, et de tentacules sont en train de te jauger.

— Ça me gêne un peu de laisser la motojet à l'extér... Oh ! s'exclame Peder, qui vient d'entrer derrière toi et se sent dévisagé.

— Tu n'as rien à craindre, jeune homme, prononce une voix onctueuse auprès de lui.

Tu te retournes et te retrouves face à un Devaronien souriant, à l'haleine pestilentielle.

— À présent, quelles boissons puis-je vous apporter, jeunes gens ?

— Oh, nous allons juste prendre... ce que vous voulez, réponds-tu dans un geste vague, tout en comptant mentalement les crédits dans la poche de ta tunique.

— Allez donc vous asseoir, suggère le Devaronien, dont les cornes brillent sous la lumière.

Tu déniches une table libre près de la tenture, d'où une légère fente dans le tissu te permet de garder un œil sur la motojet.

— J'ai un mauvais pressentiment, avoues-tu à Peder, qui t'approuve d'un hochement de tête.

Mais avant qu'il ait le temps de parler, quelqu'un s'est invité à votre table.

— Ssssalut, les jeunes, grogne le Trandoshan en se glissant sur le siège en face de toi. Je n'ai pu m'empêcher de remarquer que vous aviez l'air un peu perdus. Vous... cherchez quelqu'un peut-être ? Ou peut-être avez-vous jussste besoin d'un conssseil ?

— Ahhheum !

Au-dessus de l'épaule du Trandoshan, quelqu'un s'éclaircit la gorge.

Le Trandoshan virevolte aussitôt sur son siège et regarde l'impressionnant Miraluka qui le domine de toute sa hauteur.

— Qu'est-ce que tu veux ? grogne-t-il.

— Tout simplement mettre ces jeunes en garde ! lui crache-t-il au visage, avant de se tourner vers toi. Ne fais pas confiance à ce... cette... cette créature !

Bientôt, tous les deux vous ignorent et se lancent dans une discussion enflammée pour déterminer lequel d'entre eux doit mériter votre confiance, à Peder et toi.

— Pendant qu'ils se chamaillent, murmure Peder, je vais demander au patron de la cantina s'il sait où se trouve Godalhi.

Choisis ton destin...

Si tu décides de te fier au Miraluka et de croire qu'il essaie de vous sauver d'un Trandoshan sans scrupule, rends-toi au 56.

Si tu préfères quitter la cantina, va au 8.

Si tu choisis de laisser Peder aller voir le patron, et les deux autres discuter âprement, passe au 84.

135

Tu regardes le minuteur 5… 4… 3…
Blaster en main, tu t'élances dans le couloir et reviens vers Obi-Wan Kenobi, juste au moment où les charges explosent.

BOOOOOUM !

Sous la puissance du souffle, vous êtes tous les deux projetés à terre, tandis qu'une gigantesque boule de feu détruit le hall et les droïdes de combat.

En un clin d'œil, les flammes dévorent les murs et le plafond, et bientôt, tout le couloir est en feu, tandis que des éclats de pierre se mettent à pleuvoir sur vous et la poussière vous empêche de respirer.

— Vite ! s'exclame Kenobi en t'aidant à te relever. Nous devons filer… Le bâtiment va s'effondrer.

Tout en courant tant bien que mal parmi les gravats, tu te demandes si Ventress a pu s'en sortir vivante…

Continue au 122.

Tu fais apparaître sur l'écran la carte stellaire du Credaan et examines tous les endroits de la galaxie que tu pourrais visiter… mais aucun n'a l'air aussi attirant que Teth.

Je crois que j'ai eu ma dose d'aventure pour l'instant, penses-tu, avant de te rappeler qu'il y a toujours ce fameux Janu Godalhi à rencontrer… Qui sait ? Peut-être que ce serait sympa de devenir son assistant.

S'il est l'ami d'Obi-Wan Kenobi, songes-tu, amusé, *je risque d'avoir d'autres occasions de me faire tirer dessus, exploser la cervelle… ou d'être tout simplement menacé !*

Tu pianotes alors les coordonnées sur la console de navigation, démarres le vaisseau et rentres chez toi.

137

Je me demande ce que ce vieux rafiot a dans les tripes ? te dis-tu en balayant du regard le cockpit du vaisseau Credaan, alors que les gardes Magna sont toujours à tes trousses.

Faut que j'essaie de les semer… À mon avis, ils ne sont pas du genre à faire des prisonniers !

Les trois chasseurs sont en formation derrière toi et, en jetant un œil sur l'ordinateur de bord, tu constates qu'ils essaient de te forcer à atterrir… ou ils vont tirer.

— Activation des propulseurs inversés ! ordonnes-tu au système de bord. Boucliers défensifs à pleine puissance !

Le vaisseau recule aussitôt et tu voles en marche arrière, avant de plonger à la verticale vers la surface de Tatooine.

L'instant d'après, les trois gardes Maga te talonnent, en tirant une première salve avec leurs canons.

Ça va se jouer serré ! songes-tu, tandis que le désert brûlant de Tatooine s'approche de plus en plus. Mais à quelques mètres de l'atterrissage, tu repars dans les airs.

Une jolie manœuvre qui déroute l'un des chasseurs, qui pique du nez en plein désert.

Un à terre. Encore deux à abattre…

Tu reprends rapidement de l'altitude, suivi

de près par les deux chasseurs restants qui secouent ton vaisseau avec leurs attaques.

— Bouclier défensif arrière à 30 %, annonce l'ordinateur de bord.

Pour l'amour de Pandit !

— Puissance maximum sur le bouclier défensif avant ! ordonnes-tu en virant à 180 degrés, prêt pour l'attaque frontale.

Désormais, la proie devient le chasseur !

— Bouclier défensif avant à 25 %, annonce l'ordinateur de bord.

— T'aurais pu me le dire plus tôt !

Les gardes Magna foncent droit sur toi... Vous allez vous retrouver nez-à-nez !

— Bouclier défensif avant à 15 %.

Voyons qui va dévier le premier de sa trajectoire, penses-tu, lugubre. Et tu vous revois, Peder et toi, quand vous jouiez à vous lancer des défis sur vos motojets.

Tout à coup, une autre voix intervient sur le comport :

— On ne cède jamais ! Prépare-toi à MOURIR ! braille le garde Magna.

Dans ce cas, personne ne cèdera ! Si je me sers de ce vaisseau comme d'une bombe volante géante, ces deux gardes Magna n'embêteront plus jamais personne...

Fin

— Mais avant d'agir, précise-t-il, en gloussant devant ton air ébahi, on doit d'abord filer d'ici !

La cabine s'ouvre et te voilà revenu à ton point de départ : les énormes portes principales du monastère se dressent devant toi, encadrant un chasseur stellaire de la République.

— Ah, mon vaisseau ! se réjouit Obi-Wan. À l'endroit même où je l'ai laissé !

Les couloirs et les salles sont déserts et, tout en regardant à la ronde, tu es vraiment triste à l'idée qu'une si splendide bâtisse soit entièrement démolie.

— Attendez, Maître Kenobi ! cries-tu en lui courant après. Vous allez détruire le monastère des B'omarr ? Mais comment ? Et pourquoi ?

— Pendant que nos soldats clones évacueront les lieux, j'ordonnerai aux experts en explosifs de la République de déposer des charges dans les couloirs. Je n'ai pas le temps de me lancer dans une chasse au trésor, et c'est trop dangereux de laisser une telle quantité de vertex cristallin dans un endroit où n'importe qui pourrait s'en emparer. Je dois encore accomplir ma mission et quitter Teth sur-le-champ. Tu veux savoir autre chose ? ajoute-t-il, mi-amusé, mi-irrité par tes questions.

— Oui, répliques-tu avec audace. Puis-je vous accompagner ? Et suivre l'entraînement pour devenir un Jedi ?

C'est au tour d'Obi-Wan d'avoir l'air stupéfait !

— Tu as certes su te montrer utile, petit. Mais devenir Jedi représente beaucoup de sacrifices. Il existe d'autre moyens d'aider les Républicains à combattre les Séparatistes.

— Je vous en prie, Maître Kenobi ! Je ne vous décevrai pas !

— Je te laisse m'accompagner jusqu'à *L'Esprit de la Répblique*, déclare Obi-Wan d'un ton grave. Mais une fois sur place, je souhaite que tu réfléchisses sérieusement à ton avenir, jeune homme. Je suis certain que ta nature impétueuse t'amène à désirer des choses que tu regrettes ensuite.

Tu te glisses à l'arrière de son vaisseau sans répondre, même s'il a parfaitement raison. En effet, tu prends souvent des décisions qu'il t'arrive de regretter par la suite…

Tout en démarrant, Kenobi entre en contact avec ses capitaines et leur explique brièvement la situation concernant la super-arme et la cachette de vertex cristallin, en leur donnant l'ordre de détruire le monastère, sitôt que le dernier soldat clone aura vidé les lieux.

Avant que le vaisseau ait quitté l'orbite de Teth pour rejoindre le croiseur Jedi, l'épuisement te gagne et tu sombres dans un profond sommeil. Tes rêves sont peuplés d'images où s'entremêlent droïdekas, vertex cristallin et Ventress. Tu remues seulement quand tu sens qu'on te soulève pour te placer dans un module de repos.

— Oublie pour l'instant la décision que tu dois prendre, petit, te dit Obi-Wan. Tu auras le temps d'y penser à ton réveil.

— La réponse m'est venue dans un rêve, marmonnes-tu en luttant pour soulever tes lourdes paupières. Ma décision est déjà prise…

Et c'est la dernière chose dont tu te souviens, avant de te rendormir.

Choisis ton destin…

Si tu décides de suivre la voie des Jedi, passe au 123.

Si tu préfères aider la République à ta manière, rends-toi au 21.

— Je… je me sens tout bizarre, bredouilles-tu en te frottant les paupières, avant de regarder Plo Koon à nouveau. La base est sur le point d'être attaquée et je me sens… paisible, c'est étrange, non ?

— Ça n'a rien de si étrange, t'explique Plo Koon, en passant une fois de plus la main devant ton visage. C'est trop dangereux pour toi de rester ici…

— Oui… peut-être que c'est pas si bizarre, marmonnes-tu, en ayant l'impression d'avoir la tête dans du coton. C'est trop dangereux pour moi de rester ici…

— Si tu ne te sens pas bien, il vaudrait peut-être mieux partir sans tarder, reprend-il calmement en répétant ses gestes. File chez toi, petit, et abandonne toute idée de te rendre au monastère.

— Oui, je vais abandonner toute idée de me rendre au monastère…

140

— Je... je rejoins le Côté Obscur, murmures-tu, en étant le premier surpris par cette phrase.

En levant les yeux sur le visage de Ventress, tu n'y vois pas l'expression de triomphe à laquelle tu t'attends chez une impitoyable complice, mais le regard désolé d'une créature qui sait ce que cette décision risque de te coûter...

Le spatioport n'est pas bien loin et, sitôt que Pwi'lin et toi arrivez, tu vois le *Rindoon Dart*, dont les moteurs rugissent déjà, prêts pour le décollage.

— Quelle merveille !

— N'est-ce pas ! approuve Pwi'lin, flatté par ton intérêt. Viens jeter un coup d'œil à ses zol-blasters à tubes couplés… Et ensuite, je me sauve !

En te baissant sous une aile du vaisseau, tu aperçois le lieutenant qui occupe le siège de copilote. Il fait signe à Pwi'lin en lui montrant son poignet… un geste compris dans toute la galaxie et qui signifie : « Dépêche-toi ! »

— J'arrive ! J'arrive ! hurle Pwi'lin pour couvrir le vacarme des moteurs, avant de te montrer un canon laser qu'il vient de faire installer.

— Tu peux constater que le nouvel emplacement de la transmission hyperespace renforce ses capacités, dit-il sur le ton de la conversation, comme tu te penches pour mieux examiner l'engin.

Soudain, il t'attrape par le bras et t'entraîne sur la rampe d'accès.

— Hé ! Qu'est-ce qui vous prend, Pwi'lin ? lâches-tu, estomaqué.

— Tu viens avec nous ! répond-il en resserrant son emprise pour te pousser dans le *Rindoon Dart*, alors que la rampe se referme.

— Démarre ! beugle-t-il à son lieutenant, qui lance les moteurs, et vous décollez du spatioport.

— Qu… qu… qu'est-ce que vous faites ? Où m'emmenez-vous ?

Pwi'lin s'empare d'une paire de bracelets de sécurité, puis il en attache un à ton poignet et l'autre à une banquette qui longe les parois de la soute.

— On s'envole pour la Cité des Nuages, répond-il comme si de rien n'était, tout en accrochant tes pieds au bas de la banquette à l'aide d'une seconde paire de bracelets. Une fois sur place, je vais te vendre à un propriétaire de mine que je connais.

— Quoi ? t'étrangles-tu, horrifié. Vous êtes un marchand d'esclaves ?

— Exact, confirme Pwi'lin en te collant un bâillon sur la bouche. Maintenant, boucle-la ! Tu me donnes la migraine à jacasser comme ça !

Lorsque le *Rindoon Dart* se pose à la Cité des Nuages, un patron de mine sans scrupule t'attend. Toujours bâillonné et menotté, on te flanque à l'arrière d'un véhicule, avant de te recouvrir d'une bâche toute sale.

Qu'est-ce ce que je vais faire ? Si j'essaie d'appeler à l'aide, qui sera prêt à croire qu'on m'a kidnappé. Je parie que le propriétaire de la mine est capable de raconter n'importe quel mensonge pour contredire mon histoire, songes-tu amèrement, les larmes aux yeux. *Il doit avoir l'habitude !*

Tu sens que le véhicule ralentit, puis finit par s'arrêter.

On y est ! Même si j'ignore où je me trouve au juste…, penses-tu avec tristesse, en abandonnant tout espoir d'être sauvé.

Mais, soudain, tu entends des voix.

— Vous avez vos permis ? demande un droïde vigile.

— Oui, je les ai juste là, répond le patron de la mine.

Un poste de contrôle ! Vas-tu en profiter pour essayer de t'échapper ?

Choisis ton destin…

Si tu décides que ça en vaut la peine, au risque de ne pas être cru, ou pire encore… rends-toi au 17.

Si tu préfères attendre une meilleure occasion, va au 130.

142

— Tu as promis de m'obéir ! s'énerve Godalhi.

— Je sais, mais si vous..., bredouilles-tu, avant de réaliser que ça ne sert à rien de discuter avec lui.

Tu files alors dans le couloir retrouver la créature blessée.

— Reviens, c'est trop dangereux ! te crie-t-il, affolé.

Le ton de sa voix te force à t'arrêter...

Choisis ton destin...

Si tu décides de tenir compte de sa mise en garde, va au 85.
Si tu préfères l'ignorer, rends-toi au 128.

Les as-tu tous lus ?
1. L'invasion droïde
2. Les secrets de la République
5. La trahison de Dooku
6. Le piège de Grievous
3. Le retour de R2-D2
4. Un nouveau disciple
7. Le plan de Darth Sidious
8. L'enlèvement du Jedi
9. La mission de Palpatine
La voie du Jedi

« Pour l'éditeur, le principe est d'utiliser des papiers composés de fibres naturelles, renouvelables, recyclables et fabriquées à partir de bois issus de forêts qui adoptent un système d'aménagement durable. En outre, l'éditeur attend de ses fournisseurs de papier qu'ils s'inscrivent dans une démarche de certification environnementale reconnue. »

Imprimé en Roumanie par G. Canale & C. S.A.
Dépôt légal : mai 2011
20.07.2388.5/01 ISBN : 978-2-01-202388-8
Loi n° 49956 du 16 juillet 1949
sur les publications destinées à la jeunesse